Les mots suivis d'un * sont expliqués dans le lexique p. 114-115.

Quelle est l’histoire ?

Les circonstances

Sous le règne de l’empereur Napoléon, un étudiant en médecine tente de guérir une jeune religieuse noire que dévore un chagrin secret. Elle lui confie sa tragique histoire.

1. Dans le jardin d’un couvent, le narrateur rencontre celle qu’il est venu soigner : Ourika. Ayant gagné sa confiance, il lui donne la parole.

2. Ourika a été sauvée de l’esclavage par le gouverneur du Sénégal, ému par cette petite fille qui pleurait en embarquant sur un bateau négrier.

Claire de Duras

Ourika
(1823)

Texte intégral

LE DOSSIER
Un récit tragique

L'ENQUÊTE
Pourquoi connaît-on si peu d'écrivaines ?

Notes et dossier
Nathalie Laurent
Certifiée de lettres modernes

Sommaire

ISBN : 978-2-401-05310-6

Table des illustrations

Iconographie : Hatier Illustration
Principe de maquette : Marie-Astrid Bailly-Maître & Sterenn Heudiard
Illustrations intérieures : Samuel Cochetel, Patrick Deubelbeiss
Suivi éditorial : Caroline Blanc
Mise en page : CGI – **Cahier couleur :** Clarisse Mourain

Achevé d'imprimer par Grafica Veneta à Trebaseleghe - Italie
Dépôt légal n° 05310-6/01 - Mars 2019

Maryse Condé
Le Cœur à rire et à pleurer. Souvenirs de mon enfance (2001)
Pocket

Dans ce récit autobiographique, l'écrivaine Maryse Condé raconte son enfance guadeloupéenne. Ses parents sont fiers de leur réussite sociale, et cherchent à lui donner une éducation strictement européenne. Mais la jeune fille se rebelle contre cette identité figée qu'on veut lui imposer ; elle cherche à comprendre qui elle est et à trouver sa juste place dans le monde.

Nous devrions tous être féministes (2012)
https://www.ted.com/talks/chimamanda_ngozi_adichie_we_should_all_be_feminists?language=fr
Conférence TED de Chimamanda Ngozi Adichie

Cette intervention diffusée sur le site internet TED a eu un succès mondial. L'écrivaine nigériane y explique, simplement et avec humour, pourquoi et comment nous serions tous plus heureux si nous parvenions à construire une égalité sociale, politique et économique entre les sexes.

Pénélope Bagieu
Culottées (2016-2017)
Gallimard

En quelques planches, la vie de plusieurs femmes exceptionnelles est « croquée » par la dessinatrice : star du rock, athlète, volcanologue, inventrice, avocate... elles ont toutes eu le culot d'imposer leur vocation et leur personnalité.

Portrait d'Ourika.

Le but

Ourika est la première fiction française racontée du point de vue d'une femme noire.
En même temps que le personnage, nous prenons conscience des préjugés de la société de l'époque : parce qu'elle est femme et parce qu'elle est noire, elle se heurte à une série d'interdits qui l'empêchent de vivre sa vie et la conduisent à se détester elle-même.

3. Ourika est amenée en France et confiée à madame de B., qui l'élève comme sa fille. Elle grandit dans la bonne société des Lumières, confiante en l'avenir.

4. Mais un jour, cachée derrière un paravent, Ourika surprend une conversation qui va bouleverser le regard qu'elle porte sur le monde et sur elle-même...

Qui sont les personnages ?

Les personnages principaux

CHARLES DE B.

Petit-fils de madame de B., Charles a grandi avec Ourika, dont il est très proche. C'est à elle seule qu'il ouvre son cœur. Aimant plus que tout la raison et la vérité, il est un parfait exemple de l'aristocrate cultivé du siècle des Lumières.

OURIKA

Intelligente, sensible, jolie, cultivée, Ourika a toutes les qualités. Élevée comme une jeune fille noble du XVIIIe siècle, elle n'imagine pas d'autre avenir que le mariage et la maternité, et souhaite plus que tout connaître l'amour.

Les personnages secondaires

MADAME DE B.

Alliant la noblesse du nom à la noblesse du cœur, madame de B. recueille Ourika et lui assure une enfance très heureuse. Malgré sa bonté et sa bienveillance, elle ne songe pas à remettre en question les préjugés du monde dans lequel elles vivent.

MADAME DE...

Femme dure, autoritaire et particulièrement perspicace, madame de... estime qu'il faut savoir faire face à la réalité, si difficile à accepter soit-elle. C'est elle qui va faire basculer le destin d'Ourika.

Qui est l'auteure ?

Claire de Duras (1777-1828)

• UNE JEUNE FILLE MARQUÉE PAR LA RÉVOLUTION

Claire de Kersaint est née au siècle des Lumières. Sa mère est l'héritière d'une fortune coloniale ; son père, officier de marine, est un aristocrate ouvert d'esprit. Engagé aux côtés des révolutionnaires, il est guillotiné en 1793 pour avoir refusé de voter la mort du roi. La jeune Claire connaît alors l'exil, se réfugiant en Martinique, aux États-Unis, en Suisse puis à Londres, où elle épouse le marquis de Duras.

• UNE FEMME DU MONDE MÉLANCOLIQUE

Lorsque la monarchie est restaurée, madame de Duras a beaucoup d'influence à la cour du roi Louis XVIII. Elle reçoit dans son salon toutes les célébrités de l'époque : l'écrivain Chateaubriand, le scientifique Cuvier, le politique Talleyrand. Malgré ce succès public, sa vie intime de femme, de mère et d'amie est marquée par des déceptions qui l'affectent profondément.

• UNE ÉCRIVAINE TENAILLÉE PAR LE DOUTE

En 1821, après de graves soucis de santé, madame de Duras se retire à la campagne. Elle rédige trois romans en un an (*Ourika*, *Édouard*, *Olivier*), tous centrés sur un personnage marqué par une immense solitude. Son talent est aussitôt reconnu, mais elle en doute tant qu'elle ne parvient plus à écrire. Ainsi note-t-elle à propos de ses amis écrivains hommes : « Je les vois tous si sûrs que ce qu'ils font est superbe... Je les envie. »

En 1823, Claire de Duras publie *Ourika*

Une histoire vraie

En 1786, le chevalier de Boufflers, alors gouverneur du Sénégal, sauve une petite fille de l'esclavage et l'offre à sa tante, la princesse de Beauvau-Craon. L'enfant grandit à l'hôtel de Beauvau (aujourd'hui siège du ministère de l'Intérieur), est choyée par sa famille d'adoption, et meurt à 16 ans d'une pneumonie. À part ces quelques faits, personne ne sait rien d'elle.

Un roman à succès

Qu'a-t-elle pensé, ressenti, rêvé ? Ce sont les questions que se pose Claire de Duras à propos de la jeune Ourika, dont elle a entendu parler par une amie. Elle imagine son histoire intime et en tire un récit poignant qu'elle publie d'abord pour ses proches. Réédité en 1824, le texte a un grand succès : on en parle à la cour, on l'illustre sur divers supports et on s'habille même à la mode « Ourika ».

Une auteure mystérieuse

Mais l'auteure de ce livre tant célébré a choisi de rester anonyme. Comme la plupart des écrivaines de son temps, Claire de Duras juge indécent qu'une femme rende son œuvre publique et en tire un revenu. « Mes livres aiment la solitude », dit-elle, n'autorisant leur diffusion que pour éviter le plagiat. Malgré le succès obtenu lors de sa publication, le livre tombe dans l'oubli : il faudra attendre le XXe siècle pour saisir la profondeur de son questionnement sur la différence.

Détail d'un vase de Sèvres (cadeau du roi Louis XVIII) avec une scène du roman *Ourika*. Château d'Ussé, vers 1823.

Que se passe-t-il à l'époque ?

Sur les plans économique, social et politique

• À L'ÉPOQUE D'OURIKA

L'histoire d'Ourika commence à la fin de l'Ancien Régime, au moment où la monarchie absolue est contestée. En 1789, la Révolution fait voler en éclats la société de privilèges : le peuple prend le pouvoir et instaure l'égalité des droits. Le gouvernement révolutionnaire est rapidement confronté à des menaces d'invasion extérieure et à une forte opposition intérieure. Il y fait face en instaurant le régime de la Terreur.
À la toute fin du siècle, Napoléon Bonaparte est porté au pouvoir, devenant empereur en 1804. L'histoire d'Ourika se termine peu après son couronnement.

• À L'ÉPOQUE DE CLAIRE DE DURAS

Claire de Duras écrit Ourika après les fracas de la Révolution et de l'Empire. La France est alors redevenue une monarchie et la noblesse a retrouvé ses privilèges. Il ne s'agit cependant plus d'une monarchie absolue, car une constitution limite les pouvoirs royaux et un parlement vote les lois.

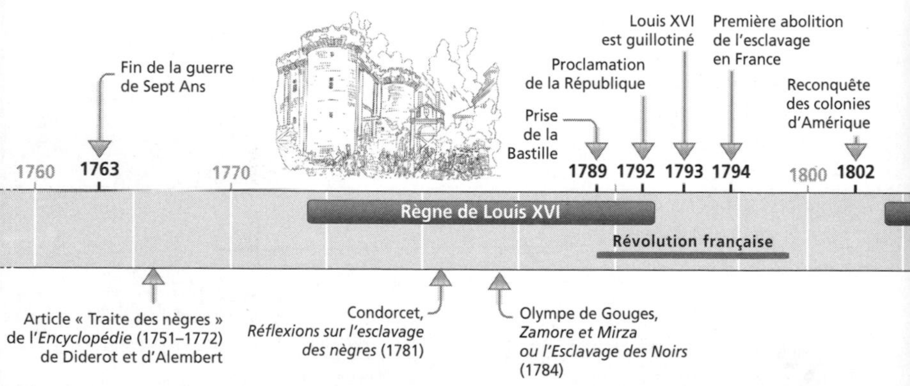

Sur le plan culturel et littéraire

● LES LUMIÈRES

Au XVIIIe siècle, toute l'Europe est traversée par un mouvement de pensée qui remet en cause les valeurs établies. Les philosophes estiment que chaque homme doit faire usage de sa raison pour pouvoir penser et agir par lui-même.
Comme on le voit dans *Ourika*, le discours des Lumières sur la liberté, la tolérance et la justice se diffuse dans le milieu de l'aristocratie et de la bourgeoisie aisée. Cependant, le récit de Madame de Duras montre aussi la persistance profonde des préjugés sous le vernis des idées progressistes.

● LE ROMANTISME

Claire de Duras s'inscrit dans une génération qui valorise les sentiments, bien plus que la raison si chère au siècle des Lumières. Au début du XIXe siècle, l'expression du moi devient le cœur de la création artistique et les écrivains romantiques partagent avec lyrisme leurs passions intimes, leur vision tourmentée du monde et leurs engagements politiques.

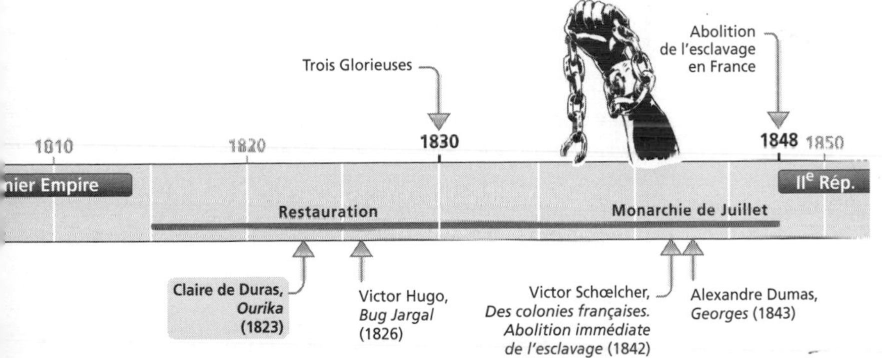

Les Noirs en France de 1315 à 1848

• UNE MINORITÉ LIBRE

En France, une loi très ancienne (1315) pose le principe suivant : « nul n'est esclave en France ». Au nom de ce principe de liberté, les très rares Africains vivant en France sont libres. Ce sont principalement des domestiques amenés d'Afrique ou des Antilles par des aristocrates ; plus rarement, des artisans ou des employés. Tout au long du XVIIe siècle – alors que l'esclavage se met en place dans les colonies françaises –, le principe de liberté est ainsi respecté sur le sol français. Mais la situation se durcit au cours du siècle suivant.

• RÉVOLTES ET RÉPRESSION AU XVIIIe SIÈCLE

À l'époque où commence l'histoire d'*Ourika*, l'abolition de l'esclavage est devenue un sujet politique grâce à des philosophes comme Montesquieu, Diderot ou Voltaire. Plusieurs révoltes d'esclaves ont éclaté aux Antilles. Le pouvoir royal s'en inquiète : dès 1716, les esclaves noirs ne sont plus automatiquement libres en touchant le sol français. Puis d'autres restrictions au principe de liberté sont imposées, en vue d'empêcher les Noirs de venir trouver en France un « esprit d'indépendance et de liberté » et d'y semer « le désordre ». Voir encadré ci-contre : lois de 1738, 1777 et 1778.

• UN LONG CHEMIN VERS L'ÉGALITÉ

La Révolution française abolit l'esclavage en 1794, mais ce n'est que de courte durée. Dès le début du XIXe siècle, l'idée d'une égalité entre les Noirs et les Blancs est balayée par les intérêts économiques liés à la culture de la canne à sucre aux Antilles.
Il faut attendre 1848 pour que l'abolition soit effective, et encore bien plus longtemps pour qu'en France, on accorde aux Noirs autant de considération qu'aux Blancs.

Du Moyen Âge à l'abolition :
quelques dates clés

1315
Édit royal qui donne la liberté à tout esclave touchant le sol français.

1642
Louis XIII autorise l'esclavage et la traite négrière, en vue d'exploiter les colonies françaises d'Amérique.

1685
Publication du Code Noir, qui considère les esclaves comme des « biens meubles ».

1738
Interdiction aux esclaves noirs de réclamer la liberté en touchant le sol français et limitation de la durée de leur séjour en France.

1777
Interdiction aux Noirs d'entrer en France.

5 avril 1778
Décret d'interdiction des unions mixtes.

Fin des années 1770
Environ 5 000 « non-Blancs » vivent en France, sur 28 millions d'habitants.

1791
Révolte d'esclaves à Saint-Domingue, qui provoquera l'abolition de l'esclavage sur l'île.

1793
Nomination de Jean-Baptiste Belley, premier député noir, représentant Saint-Domingue à la Convention.

1794
Abolition de l'esclavage dans toutes les colonies françaises.

1802
Rétablissement de l'esclavage et de la traite négrière par Bonaparte.

1818
Rappel de l'interdiction de séjour des Noirs en France.

27 avril 1848
Abolition de l'esclavage dans les colonies françaises.

1848
Élection à l'Assemblée de Louisy Mathieu et Victor Petit-Frère Mazuline, nés esclaves.

LE TEXTE

Ourika

La Seine près de Saint-Germain.
Gravure sur bois, 1897.

This is to be alone, this, this is solitude !

Byron ➲

➲ « Voilà ce que c'est qu'être seul, voilà, voilà la solitude ! » Ce sont les derniers vers du poème *Solitude*, écrit par le poète romantique anglais Lord Byron (1788-1824).

Introduction

J'étais arrivé depuis peu de mois de Montpellier, et je suivais à Paris la profession de la médecine[1], lorsque je fus appelé un matin au faubourg Saint-Jacques[2], pour voir dans un couvent ➊ une jeune religieuse malade.

5 L'empereur Napoléon avait permis depuis peu le rétablissement de quelques-uns de ces couvents ➋ : celui où je me rendais était destiné à l'éducation de la jeunesse, et appartenait à l'ordre des Ursulines ➌. La Révolution avait ruiné une partie de l'édifice ; le cloître[3] était à découvert d'un côté par la démolition de l'antique église, dont on ne voyait plus que quelques arceaux[4].

1. **Je suivais [...] la profession de la médecine** : je faisais des études de médecine.
2. **Faubourg Saint-Jacques** : quartier de Paris.
3. **Cloître** : partie d'un couvent constituée de galeries disposées en quadrilatère autour d'un espace ouvert.
4. **Arceaux** : voûtes.

➊ Un couvent est une maison dans laquelle vivent des religieuses ou des religieux chrétiens. Chacun y respecte les trois vœux monastiques : pauvreté, chasteté et obéissance.

➋ Entre 1789 et 1793, toutes les maisons religieuses ont été vidées et confisquées par l'État. La référence à l'empereur Napoléon permet de comprendre que le récit commence au début du XIXe siècle, une dizaine d'années après la Révolution, au moment où l'Église retrouve en partie son ancienne puissance.

➌ Les Ursulines sont les religieuses appartenant à l'ordre de Sainte-Ursule. En France, elles faisaient vœu de se consacrer à l'éducation des jeunes filles.

Une religieuse m'introduisit dans ce cloître, que nous traversâmes en marchant sur de longues pierres plates, qui formaient le pavé de ces galeries : je m'aperçus que c'étaient des tombes, 15 car elles portaient toutes des inscriptions pour la plupart effacées par le temps. Quelques-unes de ces pierres avaient été brisées pendant la Révolution : la sœur me le fit remarquer, en me disant qu'on n'avait pas encore eu le temps de les réparer. Je n'avais jamais vu l'intérieur d'un couvent ; ce spectacle était 20 tout nouveau pour moi.

Du cloître nous passâmes dans le jardin, où la religieuse me dit qu'on avait porté la sœur malade : en effet, je l'aperçus à l'extrémité d'une longue allée de charmille[1] ; elle était assise, et son grand voile noir l'enveloppait presque tout entière.

25 « Voici le médecin », dit la sœur, et elle s'éloigna au même moment.

Je m'approchai timidement, car mon cœur s'était serré en voyant ces tombes, et je me figurais que j'allais contempler une nouvelle victime des cloîtres ; les préjugés de ma jeunesse 30 venaient de se réveiller, et mon intérêt s'exaltait pour celle que j'allais visiter, en proportion du genre de malheur que je lui supposais. Elle se tourna vers moi, et je fus étrangement surpris en apercevant une négresse ! Mon étonnement s'accrut encore

1. **Allée de charmille :** allée plantée d'arbres formant une voûte de verdure.

Les « victimes des cloîtres » sont les jeunes filles enfermées au couvent par leur famille, sans l'avoir choisi, pour des raisons financières ou pour les punir d'une faute. Le narrateur fait ici allusion à *Victimes cloîtrées*, une pièce de théâtre de Monvel qui connut un grand succès durant toute la période révolutionnaire.

Le mot *nègre*, au XIXe siècle, n'est pas un terme insultant. Il a le sens d'Africain noir, mais aussi d'esclave, car il est entré dans la langue au moment où la traite négrière s'instaurait. C'est certainement la première fois que le narrateur voit une femme noire, et il ne s'y attendait pas dans ce contexte.

Détail d'un vase de Sèvres (cadeau du roi Louis XVIII) avec une scène du roman *Ourika*.
Château d'Ussé, vers 1823. Détail.

par la politesse de son accueil et le choix des expressions dont
35 elle se servait.

« Vous venez voir une personne bien malade, me dit-elle : à présent je désire guérir, mais je ne l'ai pas toujours souhaité, et c'est peut-être ce qui m'a fait tant de mal. »

Je la questionnai sur sa maladie.

40 « J'éprouve, me dit-elle, une oppression[1] continuelle, je n'ai plus de sommeil, et la fièvre ne me quitte pas. »

Son aspect ne confirmait que trop cette triste description de son état : sa maigreur était excessive, ses yeux brillants et fort grands, ses dents, d'une blancheur éblouissante, éclairaient
45 seuls sa physionomie[2] ; l'âme vivait encore, mais le corps était détruit, et elle portait toutes les marques d'un long et violent chagrin. Touché au-delà de l'expression, je résolus de tout tenter pour la sauver ; je commençai à lui parler de la nécessité de calmer son imagination, de se distraire, d'éloigner des senti-
50 ments pénibles.

« Je suis heureuse, me dit-elle ; jamais je n'ai éprouvé tant de calme et de bonheur. »

L'accent de sa voix était sincère, cette douce voix ne pouvait tromper ; mais mon étonnement s'accroissait à chaque instant.

55 « Vous n'avez pas toujours pensé ainsi, lui dis-je, et vous portez la trace de bien longues souffrances.

– Il est vrai, dit-elle, j'ai trouvé bien tard le repos de mon cœur[3], mais à présent je suis heureuse.

1. **Oppression** : ici, sensation de poids sur la poitrine, qui empêche de bien respirer.
2. **Sa physionomie** : son visage.
3. **Le repos de mon cœur** : la sérénité, le calme intérieur.

– Eh bien ! s'il en est ainsi, repris-je, c'est le passé qu'il faut
60 guérir ; espérons que nous en viendrons à bout : mais ce passé, je ne puis le guérir sans le connaître.

– Hélas ! répondit-elle, ce sont des folies ! » En prononçant ces mots, une larme vint mouiller le bord de sa paupière.

« Et vous dites que vous êtes heureuse ! m'écriai-je.

65 – Oui, je le suis, reprit-elle avec fermeté, et je ne changerais pas mon bonheur contre le sort qui m'a fait autrefois tant d'envie. Je n'ai point de secret : mon malheur, c'est l'histoire de toute ma vie. J'ai tant souffert jusqu'au jour où je suis entrée dans cette maison, que peu à peu ma santé s'est ruinée. Je me sentais
70 dépérir[1] avec joie ; car je ne voyais dans l'avenir aucune espérance. Cette pensée était bien coupable ➲ ! vous le voyez, j'en suis punie ; et lorsque enfin je souhaite de vivre, peut-être que je ne le pourrai plus. »

Je la rassurai, je lui donnai des espérances de guérison pro-
75 chaine ; mais en prononçant ces paroles consolantes, en lui promettant la vie, je ne sais quel triste pressentiment m'avertissait qu'il était trop tard et que la mort avait marqué sa victime.

Je revis plusieurs fois cette jeune religieuse ; l'intérêt que je lui montrais parut la toucher. Un jour, elle revint d'elle-même
80 au sujet où je désirais la conduire.

« Les chagrins que j'ai éprouvés, dit-elle, doivent paraître si étranges, que j'ai toujours senti une grande répugnance à les confier : il n'y a point de juge des peines des autres, et les confidents sont presque toujours des accusateurs.

1. **Dépérir** : perdre peu à peu ses forces.

➲ **Les chrétiens considèrent qu'il faut supporter la souffrance et que c'est une faute grave de perdre l'espérance.**

85 – Ne craignez pas cela de moi, lui dis-je ; je vois assez le ravage que le chagrin a fait en vous pour croire le vôtre sincère.

– Vous le trouverez sincère, dit-elle, mais il vous paraîtra déraisonnable.

– Et en admettant ce que vous dites, repris-je, cela exclut-il la
90 sympathie ?

– Presque toujours, répondit-elle : cependant, si, pour me guérir, vous avez besoin de connaître les peines qui ont détruit ma santé, je vous les confierai quand nous nous connaîtrons un peu davantage. »

95 Je rendis mes visites au couvent de plus en plus fréquentes ; le traitement que j'indiquai parut produire quelque effet. Enfin, un jour de l'été dernier, la retrouvant seule dans le même berceau[1], sur le même banc où je l'avais vue la première fois, nous reprîmes la même conversation, et elle me conta ce qui suit.

1. **Dans le même berceau** : au même endroit, situé sous une voûte de feuillage.

LECTURE ACTIVE 1

→ Voir aussi étape 1, p. 80

L'introduction

As-tu bien lu ?

1 Quelle discipline le narrateur* étudie-t-il ?
- ☐ le droit
- ☐ la psychologie
- ☐ la médecine

2 À quelle époque se situe l'action ?
- ☐ de nos jours
- ☐ sous l'Empire
- ☐ en 1823

3 Où la rencontre des deux personnages a-t-elle lieu ?

4 Pourquoi le narrateur est-il très surpris en voyant Ourika ?

5 De quoi la jeune femme souffre-t-elle ? *(deux réponses)*
- ☐ d'une oppression dans la poitrine
- ☐ d'une douleur au cœur
- ☐ de mauvais traitements
- ☐ d'un chagrin secret

6 Pourquoi le narrateur lui demande-t-il de raconter son histoire ?

Atelier

Formuler des hypothèses de lecture

▸ ***Objectif.*** Imaginer plusieurs récits possibles à partir de l'introduction.

▸ ***Préparation.*** Par groupes de deux (idéalement, une fille et un garçon), faites la liste des questions qu'a pu poser le narrateur pour en savoir plus sur la vie d'Ourika. Puis, inventez les réponses de la jeune fille en laissant aller votre imaginaire à partir des premières pages du livre.

▸ ***Réalisation.*** Chaque groupe présente sa version de l'histoire, sous la forme d'une scène d'interview.

▸ ***Réfléchir ensemble.*** Sur quoi l'introduction vous a-t-elle incités à vous interroger ? Quelles sont les hypothèses qui vous ont paru les plus intéressantes pour répondre à ces interrogations ?
Dans la suite de votre lecture, pensez à confronter ces hypothèses avec les choix de Claire de Duras pour percevoir l'originalité de son récit.

1

100 Je fus rapportée du Sénégal ➲, à l'âge de deux ans, par M. le chevalier de B., qui en était gouverneur. Il eut pitié de moi, un jour qu'il voyait embarquer des esclaves sur un bâtiment négrier[1] qui allait bientôt quitter le port : ma mère était morte, et on m'emportait dans le vaisseau, malgré mes cris. M. de B. 105 m'acheta, et, à son arrivée en France, il me donna à madame la maréchale de B. ➲, sa tante, la personne la plus aimable de son temps, et celle qui sut réunir, aux qualités les plus élevées, la bonté la plus touchante.

Me sauver de l'esclavage, me choisir pour bienfaitrice madame 110 de B., c'était me donner deux fois la vie : je fus ingrate envers la Providence[2] en n'étant point heureuse ; et cependant le bonheur résulte-t-il toujours de ces dons de l'intelligence ? Je croirais plutôt le contraire : il faut payer le bienfait de savoir par le désir d'ignorer, et la fable ne nous dit pas si Galatée trouva le bonheur 115 après avoir reçu la vie ➲.

1. **Bâtiment négrier** : navire qui transporte des esclaves noirs.
2. **Providence** : puissance divine et bienveillante qui gouverne le monde et protège les individus.

➲ **Le Sénégal était alors une colonie française.**

➲ **Les auteurs du XVIIIe et du XIXe siècle se contentent parfois d'une initiale ou de points de suspension pour nommer leurs personnages : ce procédé suggère que l'auteur pense à une personne réelle mais garde son identité secrète, ce qui renforce la crédibilité de l'histoire. Claire de Duras s'inspire ici d'une famille qui a vraiment existé (voir p. 9).**

➲ **Galatée est un personnage mythologique, dont le nom signifie « à la peau blanche comme du lait ». Pygmalion sculpta dans l'ivoire une statue de cette nymphe, et la trouva si belle qu'il pria Aphrodite de lui donner la vie pour pouvoir l'épouser. Effectivement, la fable ne dit pas si la statue se réjouit d'avoir reçu une conscience, ni si elle connut le bonheur.**

Je ne sus que longtemps après l'histoire des premiers jours de mon enfance. Mes plus anciens souvenirs ne me retracent que le salon de madame de B. ; j'y passais ma vie, aimée d'elle, caressée, gâtée par tous ses amis, accablée de présents, vantée,
120 exaltée[1] comme l'enfant le plus spirituel[2] et le plus aimable.

Le ton de cette société[3] était l'engouement[4], mais un engouement dont le bon goût savait exclure tout ce qui ressemblait à l'exagération : on louait tout ce qui prêtait à la louange[5], on excusait tout ce qui prêtait au blâme, et souvent, par une adresse
125 encore plus aimable, on transformait en qualités les défauts mêmes. Le succès donne du courage ; on valait près de madame de B. tout ce qu'on pouvait valoir, et peut-être un peu plus ➲, car elle prêtait quelque chose d'elle à ses amis sans s'en douter elle-même : en la voyant, en l'écoutant, on croyait lui ressembler.

130 Vêtue à l'orientale, assise aux pieds de madame de B., j'écoutais, sans la comprendre encore, la conversation des hommes les plus distingués[6] de ce temps-là. Je n'avais rien de la turbulence des enfants ; j'étais pensive avant de penser, j'étais heureuse à côté de madame de B. : aimer, pour moi, c'était être là,
135 c'était l'entendre, lui obéir, la regarder surtout ; je ne désirais rien de plus. Je ne pouvais m'étonner de vivre au milieu du luxe, de n'être entourée que des personnes les plus spirituelles et les

---

1. **Exaltée** : célébrée, glorifiée.
2. **Spirituel** : d'une intelligence fine et malicieuse.
3. **Société** : groupe de personnes qui se réunissent pour le plaisir de la conversation.
4. **Engouement** : enthousiasme, attitude passionnée.
5. **On louait tout ce qui prêtait à la louange** : on admirait tout ce qui pouvait l'être.
6. **Distingués** : remarquables.

➲ **Madame de B. est si bienveillante qu'elle encourage chacun à se montrer sous son meilleur jour et projette sur les autres ses propres qualités humaines.**

plus aimables ; je ne connaissais pas autre chose ; mais, sans le savoir, je prenais un grand dédain[1] pour tout ce qui n'était pas ce monde où je passais ma vie. Le bon goût est à l'esprit ce qu'une oreille juste est aux sons. Encore toute enfant, le manque de goût me blessait ; je le sentais avant de pouvoir le définir, et l'habitude me l'avait rendu comme nécessaire. Cette disposition eût été dangereuse si j'avais eu un avenir ; mais je n'avais pas d'avenir, et je ne m'en doutais pas. J'arrivai jusqu'à l'âge de douze ans sans avoir eu l'idée qu'on pouvait être heureuse autrement que je ne l'étais. Je n'étais pas fâchée d'être une négresse : on me disait que j'étais charmante ; d'ailleurs, rien ne m'avertissait que ce fût un désavantage ; je ne voyais presque pas d'autres enfants ; un seul était mon ami, et ma couleur noire ne l'empêchait pas de m'aimer.

Ma bienfaitrice avait deux petits-fils, enfants d'une fille qui était morte jeune. Charles, le cadet, était à peu près de mon âge. Élevé avec moi, il était mon protecteur, mon conseil et mon soutien dans toutes mes petites fautes. À sept ans, il alla au collège : je pleurai en le quittant ; ce fut ma première peine. Je pensais souvent à lui, mais je ne le voyais presque plus. Il étudiait, et moi, de mon côté, j'apprenais, pour plaire à madame de B., tout ce qui devait former une éducation parfaite ➊. Elle voulut que j'eusse tous les talents : j'avais de la voix, les maîtres les plus habiles l'exercèrent ; j'avais le goût de la peinture, et un peintre célèbre, ami de madame de B., se chargea de diriger

1. **Dédain** : mépris.

➊ Charles part étudier au collège, mais Ourika se forme « à la maison ». Elle y apprend tout ce qui fera d'elle une femme du monde parfaite, capable d'avoir une conversation brillante et de s'occuper intelligemment.

mes efforts ; j'appris l'anglais, l'italien, et madame de B. elle-même s'occupait de mes lectures. Elle guidait mon esprit, for-
165 mait mon jugement[1] : en causant avec elle, en découvrant tous les trésors de son âme, je sentais la mienne s'élever, et c'était l'admiration qui m'ouvrait les voies de l'intelligence. Hélas ! je ne prévoyais pas que ces douces études seraient suivies de jours si amers[2] ; je ne pensais qu'à plaire à madame de B. ; un sourire
170 d'approbation sur ses lèvres était tout mon avenir.

Cependant des lectures multipliées, celles des poètes surtout, commençaient à occuper ma jeune imagination ; mais, sans but, sans projet, je promenais au hasard mes pensées errantes[3], et, avec la confiance de mon jeune âge, je me disais que madame
175 de B. saurait bien me rendre heureuse : sa tendresse pour moi, la vie que je menais, tout prolongeait mon erreur et autorisait mon aveuglement. Je vais vous donner un exemple des soins et des préférences dont j'étais l'objet.

Vous aurez peut-être de la peine à croire, en me voyant
180 aujourd'hui, que j'aie été citée pour l'élégance et la beauté de ma taille[4]. Madame de B. vantait souvent ce qu'elle appelait ma grâce, et elle avait voulu que je susse parfaitement danser ➲. Pour faire briller ce talent, ma bienfaitrice donna un bal dont ses petits-fils furent le prétexte, mais dont le véritable motif
185 était de me montrer fort à mon avantage dans un quadrille[5] des quatre parties du monde où je devais représenter l'Afrique. On

1. **Jugement** : discernement, bon sens.
2. **Amers** : pleins de découragement et de frustration.
3. **Errantes** : sans direction ni but précis.
4. **Taille** : ici, physique, aspect général de la personne.
5. **Quadrille** : ici, chorégraphie en costumes, exécutée au cours d'un bal pour divertir l'assistance.

➲ **Elle avait voulu que je *susse* [...] danser : elle avait voulu que je *sache* [...] danser. Le verbe *savoir* est ici conjugué à l'imparfait du subjonctif.**

consulta les voyageurs, on feuilleta les livres de costumes, on lut des ouvrages savants sur la musique africaine, enfin on choisit une *Comba*, danse nationale de mon pays. Mon danseur mit un
190 crêpe[1] sur son visage : hélas ! je n'eus pas besoin d'en mettre sur le mien ; mais je ne fis pas alors cette réflexion. Tout entière au plaisir du bal, je dansai la *Comba*, et j'eus tout le succès qu'on pouvait attendre de la nouveauté du spectacle et du choix des spectateurs, dont la plupart, amis de madame de B., s'enthou-
195 siasmaient pour moi et croyaient lui faire plaisir en se laissant aller à toute la vivacité de ce sentiment. La danse d'ailleurs était piquante ; elle se composait d'un mélange d'attitudes et de pas mesurés ; on y peignait l'amour, la douleur, le triomphe et le désespoir. Je ne connaissais encore aucun de ces mouvements
200 violents de l'âme ; mais je ne sais quel instinct me les faisait deviner ; enfin je réussis. On m'applaudit, on m'entoura, on m'accabla d'éloges[2] : ce plaisir fut sans mélange ; rien ne troublait alors ma sécurité. Ce fut peu de jours après ce bal qu'une conversation, que j'entendis par hasard, ouvrit mes yeux et finit
205 ma jeunesse.

Il y avait dans le salon de madame de B. un grand paravent de laque ➋. Ce paravent cachait une porte ; mais il s'étendait aussi près d'une des fenêtres, et, entre le paravent et la fenêtre, se trouvait une table où je dessinais quelquefois. Un jour, je finis-
210 sais avec application une miniature[3] ; absorbée par mon travail, j'étais restée longtemps immobile, et sans doute madame de B. me croyait sortie, lorsqu'on annonça une de ses amies, la

1. **Un crêpe** : un tissu noir.
2. **On m'accabla d'éloges** : on me fit beaucoup de compliments.
3. **Miniature** : petite peinture.

➋ **Un paravent est un meuble fait de panneaux verticaux articulés, qui sert à protéger des courants d'air ou à masquer quelque chose. La laque est un revêtement brillant, richement décoré.**

marquise de... ➲ C'était une personne d'une raison froide, d'un esprit tranchant, positive[1] jusqu'à la sécheresse ; elle portait ce
215 caractère dans l'amitié : les sacrifices ne lui coûtaient rien pour le bien et pour l'avantage de ses amis ; mais elle leur faisait payer cher ce grand attachement. Inquisitive[2] et difficile, son exigence égalait son dévouement, et elle était la moins aimable des amies de madame de B. Je la craignais, quoiqu'elle fût bonne pour
220 moi ; mais elle l'était à sa manière : examiner, et même assez sévèrement, était pour elle un signe d'intérêt ➲. Hélas ! j'étais si accoutumée à la bienveillance, que la justice me semblait toujours redoutable.

« Pendant que nous sommes seules, dit madame de... à
225 madame de B., je veux vous parler d'Ourika : elle devient charmante, son esprit est tout à fait formé, elle causera comme vous[3], elle est pleine de talents, elle est piquante[4], naturelle ; mais que deviendra-t-elle ? et enfin qu'en ferez-vous ?

– Hélas ! dit madame de B., cette pensée m'occupe souvent,
230 et, je vous l'avoue, toujours avec tristesse : je l'aime comme si elle était ma fille ; je ferais tout pour la rendre heureuse ; et cependant, lorsque je réfléchis à sa position ➲, je la trouve sans remède. Pauvre Ourika ! je la vois seule, pour toujours seule dans la vie ! »

---

1. **Positive** : ici, réaliste.
2. **Inquisitive** : très indiscrète.
3. **Elle causera comme vous** : elle aura le même talent que vous pour la conversation.
4. **Piquante** : pleine de vivacité.

➲ **Contrairement à madame de B., la marquise de... est probablement un personnage inventé.**

➲ **Madame de... considère que juger avec franchise ses amis est une manière de leur témoigner son affection.**

➲ **Ourika n'est ni la fille ni la domestique de madame de B. Elle n'a pas de nom, pas de parents, pas de métier, pas de droits ; elle est donc privée de statut social. De plus, elle a été éduquée comme une jeune fille de la noblesse, dont le seul avenir possible est le mariage... mais sa peau noire le lui interdit, car le mariage mixte est prohibé par édit royal en 1778.**

235 Il me serait impossible de vous peindre l'effet que produisit en moi ce peu de paroles ; l'éclair n'est pas plus prompt[1] : je vis tout ; je me vis négresse, dépendante, méprisée, sans fortune, sans appui, sans un être de mon espèce à qui unir mon sort, jusqu'ici un jouet, un amusement pour ma bienfaitrice, bien-
240 tôt rejetée d'un monde où je n'étais pas faite pour être admise. Une affreuse palpitation me saisit, mes yeux s'obscurcirent, le battement de mon cœur m'ôta un instant la faculté d'écouter encore ; enfin je me remis assez pour entendre la suite de cette conversation.

245 « Je crains, disait madame de..., que vous ne la rendiez malheureuse. Que voulez-vous qui la satisfasse, maintenant qu'elle a passé sa vie dans l'intimité de votre société ?

– Mais elle y restera, dit madame de B.

– Oui, reprit madame de..., tant qu'elle est une enfant : mais
250 elle a quinze ans ; à qui la marierez-vous, avec l'esprit qu'elle a et l'éducation que vous lui avez donnée ? Qui voudra jamais épouser une négresse ? Et si, à force d'argent, vous trouvez quelqu'un qui consente à[2] avoir des enfants nègres, ce sera un homme d'une condition inférieure, et avec qui elle se trouvera
255 malheureuse. Elle ne peut vouloir que de ceux qui ne voudront pas d'elle.

– Tout cela est vrai, dit madame de B. ; mais heureusement elle ne s'en doute point encore, et elle a pour moi un attachement, qui, j'espère, la préservera longtemps de juger sa position.
260 Pour la rendre heureuse, il eût fallu en faire une personne commune : je crois sincèrement que cela était impossible. Eh bien !

1. **Prompt** : rapide.
2. **Qui consente à** : qui soit d'accord pour.

peut-être sera-t-elle assez distinguée pour se placer au-dessus de son sort, n'ayant pu rester au-dessous.

– Vous vous faites des chimères[1], dit madame de… : la philosophie ➋ nous place au-dessus des maux de la fortune, mais elle ne peut rien contre les maux qui viennent d'avoir brisé l'ordre de la nature. Ourika n'a pas rempli sa destinée : elle s'est placée dans la société sans sa permission ; la société se vengera.

– Assurément, dit madame de B., elle est bien innocente de ce crime ; mais vous êtes sévère pour cette pauvre enfant.

– Je lui veux plus de bien que vous, reprit madame de… ; je désire son bonheur, et vous la perdez. »

Madame de B. répondit avec impatience, et j'allais être la cause d'une querelle entre les deux amies, quand on annonça une visite : je me glissai derrière le paravent ; je m'échappai ; je courus dans ma chambre, où un déluge de larmes soulagea un instant mon pauvre cœur.

C'était un grand changement dans ma vie, que la perte de ce prestige qui m'avait environnée jusqu'alors ! Il y a des illusions qui sont comme la lumière du jour ; quand on les perd, tout disparaît avec elles. Dans la confusion des nouvelles idées qui m'assaillaient[2], je ne retrouvais plus rien de ce qui m'avait occupée jusqu'alors : c'était un abîme avec toutes ses terreurs. Ce mépris dont je me voyais poursuivie ; cette société où j'étais déplacée ; cet homme qui, à prix d'argent[3], consentirait peut-être que ses enfants fussent nègres ! toutes ces pensées s'élevaient successivement comme des fantômes

1. **Vous vous faites des chimères :** vous vous faites des illusions.
2. **M'assaillaient :** s'emparaient de moi.
3. **À prix d'argent :** en échange de beaucoup d'argent.

➋ **La philosophie désigne ici la capacité à rester patient et serein, quelles que soient les circonstances de la vie.**

et s'attachaient sur moi comme des furies ➲ : l'isolement surtout ; cette conviction que j'étais seule, pour toujours
290 seule dans la vie, madame de B. l'avait dit ; et à chaque instant je me répétais, seule ! pour toujours seule ! La veille encore, que m'importait d'être seule ? je n'en savais rien ; je ne le sentais pas ; j'avais besoin de ce que j'aimais, je ne songeais pas que ce que j'aimais n'avait pas besoin de moi. Mais à présent, mes yeux
295 étaient ouverts, et le malheur avait déjà fait entrer la défiance[1] dans mon âme.

1. **Défiance** : crainte méfiante, suspicion.

➲ **Les furies sont des divinités mythologiques chargées d'exécuter la vengeance des dieux.**

LECTURE ACTIVE 2

→ Voir aussi
étape 2, p. 82

La terrible révélation

As-tu bien lu ?

1 Quel âge Ourika a-t-elle lors de cette scène ?
☐ 2 ans ☐ 15 ans ☐ 18 ans

2 Que fait-elle derrière le paravent (page 30, lignes 206-213) ?

3 Complète cette phrase de madame de B. :
« Pauvre Ourika ! je la vois . . . . , pour toujours . . . . dans la vie ! »

4 Que reproche madame de... à madame de B. ?

5 Comment Ourika réagit-elle en apprenant qu'elle n'aura pas l'avenir qu'elle attendait ?
☐ Elle se rebelle. ☐ Elle cherche du soutien.
☐ Elle se sent seule et terrorisée.

Atelier

Plaider une cause

▸ ***Objectif.*** Comprendre la portée d'un discours prononcé devant un auditoire.

▸ ***Préparation.*** En groupe (3 ou 4 élèves), développez au moins deux arguments pour réclamer l'abolition de la loi du 5 avril 1778 qui interdit le mariage mixte. Chaque groupe choisit un orateur et l'aide à préparer une prise de parole d'environ trois minutes. Il s'agit de rechercher ensemble les expressions qui feront mouche auprès de l'auditoire, mais aussi de réfléchir au volume de la voix, à l'articulation, à la posture, à la gestuelle... Faites répéter l'orateur pour qu'il soit convaincant !

▸ ***Réalisation.*** Chacun des orateurs prononce ensuite son discours devant la classe qui joue le rôle de l'Assemblée législative.

▸ ***Réfléchir ensemble.*** Pourquoi Ourika ne peut-elle pas défendre sa cause ? Qu'est-ce qui, à son époque, l'empêche de s'exprimer publiquement ?

2

Quand je revins chez madame de B., tout le monde fut frappé de mon changement ; on me questionna : je dis que j'étais malade ; on le crut. Madame de B. envoya chercher Barthez, qui
300 m'examina avec soin, me tâta le pouls, et dit brusquement que je n'avais rien. Madame de B. se rassura, et essaya de me distraire et de m'amuser. Je n'ose dire combien j'étais ingrate pour ces soins de ma bienfaitrice ; mon âme s'était comme resserrée en elle-même.

305 Les bienfaits qui sont doux à recevoir, sont ceux dont le cœur s'acquitte[1] : le mien était rempli d'un sentiment trop amer pour se répandre au-dehors. Des combinaisons infinies des mêmes pensées occupaient tout mon temps ; elles se reproduisaient sous mille formes différentes : mon imagination leur prêtait les
310 couleurs les plus sombres ; souvent mes nuits entières se passaient à pleurer. J'épuisais ma pitié sur moi-même ; ma figure me faisait horreur, je n'osais plus me regarder dans une glace ; lorsque mes yeux se portaient sur mes mains noires, je croyais voir celles d'un singe ; je m'exagérais ma laideur, et cette couleur
315 me paraissait comme le signe de ma réprobation[2] ; c'est elle qui me séparait de tous les êtres de mon espèce, qui me condamnait à être seule, toujours seule ! jamais aimée ! Un homme, à prix d'argent, consentirait peut-être que ses enfants fussent nègres ! Tout mon sang se soulevait d'indignation à cette pensée.

1. **S'acquitte** : se rend quitte ; ici, en étant capable d'offrir de l'affection en retour.
2. **Réprobation** : condamnation.

320 J'eus un moment l'idée de demander à madame de B. de me renvoyer dans mon pays ; mais là encore j'aurais été isolée : qui m'aurait entendue, qui m'aurait comprise ? Hélas ! je n'appartenais plus à personne ➊ ; j'étais étrangère à la race humaine tout entière ! Ce n'est que bien longtemps après que je compris
325 la possibilité de me résigner à un tel sort. Madame de B. n'était point dévote[1] ; je devais à un prêtre respectable, qui m'avait instruite pour ma première communion, ce que j'avais de sentiments religieux. Ils étaient sincères comme tout mon caractère ; mais je ne savais pas que, pour être profitable, la piété[2]
330 a besoin d'être mêlée à toutes les actions de la vie : la mienne avait occupé quelques instants de mes journées, mais elle était demeurée étrangère à tout le reste. Mon confesseur ➋ était un saint vieillard, peu soupçonneux ; je le voyais deux ou trois fois par an, et, comme je n'imaginais pas que des chagrins fussent
335 des fautes, je ne lui parlais pas de mes peines. Elles altéraient sensiblement ma santé ; mais, chose étrange ! elles perfectionnaient mon esprit.

Un sage d'Orient a dit : « Celui qui n'a pas souffert, que sait-il ? »

Je vis que je ne savais rien avant mon malheur ; mes impres-
340 sions étaient toutes des sentiments ; je ne jugeais pas ; j'aimais : les discours, les actions, les personnes plaisaient ou déplaisaient à mon cœur. À présent, mon esprit s'était séparé de ces

1. **Dévote** : dévouée aux pratiques religieuses.
2. **Piété** : attachement fervent à la religion et à ses devoirs.

➊ Ourika n'est pas acceptée dans le monde aristocratique à cause de sa peau noire. Elle réalise aussi que son éducation l'empêcherait de s'adapter au Sénégal, pays dont elle ne comprendrait ni la langue, ni les usages. Elle n'a donc de place nulle part.

➋ Dans la tradition catholique, les prêtres écoutent les confessions des fidèles, c'est-à-dire, l'aveu de leurs fautes, et ont le pouvoir de leur accorder ensuite le pardon divin.

mouvements involontaires : le chagrin est comme l'éloignement, il fait juger l'ensemble des objets. Depuis que je me sen-
345 tais étrangère à tout, j'étais devenue plus difficile, et j'examinais, en le critiquant, presque tout ce qui m'avait plu jusqu'alors.

Cette disposition ne pouvait échapper à madame de B. ; je n'ai jamais su si elle en devina la cause. Elle craignait peut-être d'exalter ma peine en me permettant de la confier : mais elle me
350 montrait encore plus de bonté que de coutume ; elle me parlait avec un entier abandon[1], et, pour me distraire de mes chagrins, elle m'occupait de ceux qu'elle avait elle-même. Elle jugeait bien mon cœur ; je ne pouvais en effet me rattacher à la vie que par l'idée d'être nécessaire ou du moins utile à ma bienfaitrice. La
355 pensée qui me poursuivait le plus, c'est que j'étais isolée sur la terre, et que je pouvais mourir sans laisser de regrets dans le cœur de personne.

J'étais injuste pour madame de B. ; elle m'aimait, elle me l'avait assez prouvé ; mais elle avait des intérêts qui passaient
360 bien avant moi. Je n'enviais pas sa tendresse à ses petits-fils, surtout à Charles ; mais j'aurais voulu pouvoir dire comme eux : « Ma mère ! » Les liens de famille surtout me faisaient faire des retours bien douloureux sur moi-même, moi qui jamais ne devais être la sœur, la femme, la mère de personne ! Je me
365 figurais dans ces liens plus de douceur qu'ils n'en ont peut-être, et je négligeais ceux qui m'étaient permis, parce que je ne pouvais atteindre à ceux-là. Je n'avais point d'amie, personne n'avait ma confiance : ce que j'avais pour madame de B. était plutôt un culte[2] qu'une affection ; mais je crois que je sentais pour

1. **Elle me parlait avec un entier abandon** : elle se confiait à moi sans réserve.
2. **Culte** : vénération, adoration à caractère religieux.

370 Charles tout ce qu'on éprouve pour un frère. Il était toujours au collège, qu'il allait bientôt quitter pour commencer ses voyages. Il partait avec son frère aîné et son gouverneur[1], et ils devaient visiter l'Allemagne, l'Angleterre et l'Italie ; leur absence devait durer deux ans. Charles était charmé de partir ; et moi, je ne fus 375 affligée[2] qu'au dernier moment ; car j'étais toujours bien aise[3] de ce qui lui faisait plaisir. Je ne lui avais rien dit de toutes les idées qui m'occupaient ; je ne le voyais jamais seul, et il m'aurait fallu bien du temps pour lui expliquer ma peine : je suis sûre qu'alors il m'aurait comprise. Mais il avait, avec son air doux et 380 grave, une disposition à la moquerie, qui me rendait timide : il est vrai qu'il ne l'exerçait guère que sur les ridicules de l'affectation[4] ; tout ce qui était sincère le désarmait. Enfin je ne lui dis rien. Son départ, d'ailleurs, était une distraction, et je crois que cela me faisait du bien de m'affliger d'autre chose que de ma 385 douleur habituelle.

Ce fut peu de temps après le départ de Charles, que la Révolution prit un caractère plus sérieux ➲ : je n'entendais parler tout le jour, dans le salon de madame de B., que des grands intérêts moraux et politiques que cette Révolution remua jusque dans 390 leur source ; ils se rattachaient à ce qui avait occupé les esprits supérieurs de tous les temps. Rien n'était plus capable d'étendre et de former mes idées, que le spectacle de cette arène où des hommes distingués remettaient chaque jour en question tout

1. **Gouverneur** : homme chargé de l'éducation des jeunes garçons de grande famille.
2. **Affligée** : attristée.
3. **J'étais toujours bien aise** : j'étais toujours très satisfaite.
4. **Affectation** : attitude qui manque de naturel et de sincérité, fait de « faire des manières ».

➲ **Il s'agit de la Révolution française. Madame de B. reçoit dans son salon de nombreux nobles qui sont sensibles aux idées des Lumières, remettant en question les valeurs et les institutions, au nom de la raison, de la liberté et de la justice.**

ce qu'on avait pu croire jugé jusqu'alors. Ils approfondissaient
395 tous les sujets, remontaient à l'origine de toutes les institutions, mais trop souvent pour tout ébranler et pour tout détruire.

Croiriez-vous que, jeune comme j'étais, étrangère à tous les intérêts de la société, nourrissant à part ma plaie secrète, la Révolution apporta un changement dans mes idées, fit naître
400 dans mon cœur quelques espérances, et suspendit un moment mes maux ? tant on cherche vite ce qui peut consoler ! J'entrevis donc que, dans ce grand désordre, je pourrais trouver ma place ; que toutes les fortunes renversées, tous les rangs confondus, tous les préjugés évanouis, amèneraient peut-être un état de
405 choses où je serais moins étrangère ; et que si j'avais quelque supériorité d'âme, quelque qualité cachée, on l'apprécierait lorsque ma couleur ne m'isolerait plus au milieu du monde, comme elle avait fait jusqu'alors. Mais il arriva que ces qualités mêmes que je pouvais me trouver s'opposèrent vite à mon
410 illusion : je ne pus désirer longtemps beaucoup de mal pour un peu de bien personnel. D'un autre côté, j'apercevais les ridicules de ces personnages qui voulaient maîtriser les événements ; je jugeais les petitesses de leurs caractères, je devinais leurs vues secrètes ; bientôt leur fausse philanthropie cessa de m'abuser[1],
415 et je renonçai à l'espérance, en voyant qu'il resterait encore assez de mépris pour moi au milieu de tant d'adversités. Cependant je m'intéressais toujours à ces discussions animées ; mais elles ne tardèrent pas à perdre ce qui faisait leur plus grand charme. Déjà le temps n'était plus où l'on ne songeait qu'à

1. **Leur fausse philanthropie cessa de m'abuser** : je compris qu'ils étaient hypocrites et ne désiraient pas vraiment l'égalité entre les êtres.

La Révolution conteste l'organisation très hiérarchisée de la société et demande l'abolition des privilèges des ordres dominants (le clergé et la noblesse).

420 plaire, et où la première condition pour y réussir était l'oubli des succès de son amour-propre : lorsque la Révolution cessa d'être une belle théorie et qu'elle toucha aux intérêts intimes de chacun, les conversations dégénérèrent en disputes, et l'aigreur, l'amertume et les personnalités prirent la place de la raison ➲. 425 Quelquefois, malgré ma tristesse, je m'amusais de toutes ces violentes opinions, qui n'étaient, au fond, presque jamais que des prétentions, des affectations ou des peurs : mais la gaité qui vient de l'observation des ridicules ne fait pas de bien ; il y a trop de malignité[1] dans cette gaîté, pour qu'elle puisse réjouir le 430 cœur qui ne se plaît que dans les joies innocentes.

On peut avoir cette gaîté moqueuse, sans cesser d'être malheureux ; peut-être même le malheur rend-il plus susceptible de l'éprouver, car l'amertume dont l'âme se nourrit, fait l'aliment habituel de ce triste plaisir ➲.

435 L'espoir sitôt détruit que m'avait inspiré la Révolution n'avait point changé la situation de mon âme ; toujours mécontente de mon sort, mes chagrins n'étaient adoucis que par la confiance et les bontés de madame de B. Quelquefois, au milieu de ces conversations politiques dont elle ne pouvait réussir à calmer 440 l'aigreur, elle me regardait tristement ; ce regard était un baume pour mon cœur ; il semblait me dire : « Ourika, vous seule m'entendez ! »

1. **Malignité** : méchanceté.

➲ **Les amis de madame de B. sont d'abord favorables à la Révolution. Mais quand ils se rendent compte qu'ils risquent de perdre les privilèges de la noblesse, et peut-être même la vie, la peur et la colère font leur apparition.**

➲ **Il s'agit du plaisir de se moquer des autres.**

On commençait à parler de la liberté des nègres : il était impossible que cette question ne me touchât pas vivement ; c'était 445 une illusion que j'aimais encore à me faire, qu'ailleurs, du moins, j'avais des semblables : comme ils étaient malheureux, je les croyais bons, et je m'intéressais à leur sort. Hélas ! je fus promptement détrompée ! Les massacres de Saint-Domingue ➲ me causèrent une douleur nouvelle et déchirante : jusqu'ici je 450 m'étais affligée d'appartenir à une race proscrite[1] ; maintenant j'avais honte d'appartenir à une race de barbares et d'assassins ➲.

Cependant la Révolution faisait des progrès rapides ; on s'effrayait en voyant les hommes les plus violents s'emparer de toutes les places. Bientôt il parut que ces hommes étaient déci- 455 dés à ne rien respecter : les affreuses journées du 20 juin ➲ et du 10 août ➲ durent préparer à tout. Ce qui restait de la société[2] de madame de B. se dispersa à cette époque : les uns fuyaient les persécutions dans les pays étrangers ; les autres se cachaient ou se retiraient en province.

---

1. **Proscrite** : rejetée.
2. **Société** : ici, entourage.

➲ En 1791, les esclaves de Saint-Domingue se révoltent contre les colons : en quelques jours, toutes les plantations du Nord sont en flammes et un millier de Blancs sont tués. Ce sont les prémices d'un mouvement d'indépendance qui fit d'Haïti la première république noire au monde.

➲ Ourika est davantage choquée par la barbarie des esclaves révoltés que par celle des colons.

➲ 20 juin [1792] : les révolutionnaires envahissent les Tuileries, résidence de la famille royale, car le roi refuse d'appliquer les lois votées pour répondre à la menace d'invasion des Prussiens. Ils obligent Louis XVI à se coiffer d'un bonnet phrygien et à boire une rasade de vin « à la santé du peuple ».

➲ 10 août [1792] : les révolutionnaires entrent de nouveau aux Tuileries, les armes à la main. Plus de 800 personnes sont tuées. L'Assemblée vote la suspension des pouvoirs du roi, qui sera ensuite emprisonné avec sa famille : le système monarchique s'effondre.

460 Madame de B. ne fit ni l'un ni l'autre ; elle était fixée chez elle par l'occupation constante de son cœur : elle resta avec un souvenir et près d'un tombeau ➊. Nous vivions depuis quelques mois dans la solitude, lorsque, à la fin de l'année 1792, parut le décret de confiscation des biens des émigrés ➋. Au milieu de 465 ce désastre général, madame de B. n'aurait pas compté la perte de sa fortune, si elle n'eût appartenu à ses petits-fils ➌ ; mais, par des arrangements de famille, elle n'en avait que la jouissance. Elle se décida donc à faire revenir Charles, le plus jeune des deux frères, et à envoyer l'aîné, âgé de près de vingt ans, 470 à l'armée de Condé ➍. Ils étaient alors en Italie, et achevaient ce grand voyage, entrepris, deux ans auparavant, dans des circonstances bien différentes. Charles arriva à Paris au commencement de février 1793, peu de temps après la mort du roi ➎. Ce grand crime avait causé à madame de B. la plus violente 475 douleur ; elle s'y livrait tout entière, et son âme était assez forte pour proportionner l'horreur du forfait[1] à l'immensité du forfait même. Les grandes douleurs, dans la vieillesse, ont quelque chose de frappant : elles ont pour elles l'autorité de la raison.

1. Forfait : crime.

➊ On comprend entre les lignes que madame de B. choisit de rester près du tombeau de son défunt mari, en France.

➋ Effrayées par la Révolution, 140 000 personnes, dont un grand nombre de nobles, quittent la France entre 1789 et 1800. Le gouvernement révolutionnaire décide en 1792 de confisquer leurs biens.

➌ La fortune de madame de B. appartient légalement à ses petits-fils, qui reviennent donc en France pour qu'elle ne soit pas confisquée.

➍ L'armée de Condé a été créée par un cousin du roi afin de lutter contre la Révolution. La famille de B. se positionne pour le rétablissement de l'ordre ancien.

➎ Le roi Louis XVI fut guillotiné le 21 janvier 1793.

Madame de B. souffrait avec toute l'énergie de son caractère ; sa
480 santé en était altérée[1], mais je n'imaginais pas qu'on pût essayer de la consoler, ou même de la distraire. Je pleurais, je m'unissais à ses sentiments, j'essayais d'élever mon âme pour la rapprocher de la sienne, pour souffrir du moins autant qu'elle et avec elle. Je ne pensai presque pas à mes peines, tant que dura
485 la Terreur ➲ ; j'aurais eu honte de me trouver malheureuse en présence de ces grandes infortunes[2] : d'ailleurs, je ne me sentais plus isolée depuis que tout le monde était malheureux.

L'opinion est comme une patrie ; c'est un bien dont on jouit ensemble ; on est frère pour la soutenir et pour la défendre.
490 Je me disais quelquefois, que moi, pauvre négresse, je tenais pourtant à toutes les âmes élevées, par le besoin de la justice que j'éprouvais en commun avec elles ➲ : le jour du triomphe de la vertu et de la vérité serait un jour de triomphe pour moi comme pour elles : mais, hélas ! ce jour était bien loin.

1. **Altérée** : dégradée.
2. **Ces grandes infortunes** : ces grands malheurs.

➲ La Terreur (1793-1794) est une période révolutionnaire durant laquelle on traquait les opposants à la Révolution (royalistes, prêtres, républicains modérés).

➲ Ourika associe le malheur de son sort à celui des nobles persécutés pendant la Révolution, pensant qu'ils ont en commun un besoin de justice.

LECTURE ACTIVE 3

→ Voir aussi étape 3, p. 84

La Révolution : espoirs et déceptions

As-tu bien lu ?

1 Quel est l'espoir d'Ourika au début de la Révolution ?

2 Que conclut-elle en observant les nobles de son entourage ?
- ☐ Ils sont prêts à tout pour faire triompher l'égalité et la justice.
- ☐ Ils ne sont pas prêts à mettre en application leurs belles idées.

3 Pourquoi Ourika est-elle choquée par la révolte des esclaves de Saint-Domingue ?

4 Pourquoi Charles revient-il à Paris durant la Terreur ?
- ☐ pour sauver sa fortune
- ☐ pour participer au gouvernement républicain

Atelier

Un salon du XVIIIe siècle

▸ ***Objectif.*** Se représenter les débats d'idées du siècle des Lumières.

▸ ***Matériel.*** Extraits des articles « Égalité naturelle » et « Traite des Nègres » de l'*Encyclopédie*. On distribue un extrait par groupe.

▸ ***Préparation.*** En groupe (6 à 10 élèves), imaginez différents personnages du XVIIIe siècle. Par exemple : un prince propriétaire de plantations aux Antilles ; un baron prêt à combattre pour la liberté ; un domestique noir. Répartissez-vous les différents rôles. Puis chacun lit l'extrait distribué en imaginant ce que son personnage en penserait, selon qu'il adhère ou non aux idées des Lumières.

▸ ***Réalisation.*** Observez le *Salon de Madame Geoffrin* reproduit en plat 2 de couverture et disposez-vous de façon à imiter l'image. L'un de vous lit tout haut l'article de l'*Encyclopédie*, et chacun fait réagir son personnage en fonction de ses idées.

▸ ***Réfléchir ensemble.*** Est-il facile d'imposer des idées face à un groupe ? Qu'est-ce qui, à l'époque, fait obstacle aux principes de tolérance et de liberté des Lumières ?

3

495 Aussitôt que Charles fut arrivé, madame de B. partit pour la campagne. Tous ses amis étaient cachés ou en fuite ; sa société se trouvait presque réduite à un vieil abbé que, depuis dix ans, j'entendais tous les jours se moquer de la religion, et qui à présent s'irritait qu'on eût vendu les biens du clergé, parce qu'il y
500 perdait vingt mille livres de rente. Cet abbé vint avec nous à Saint-Germain.

Sa société[1] était douce, ou plutôt elle était tranquille : car son calme n'avait rien de doux ; il venait de la tournure de son esprit, plutôt que de la paix de son cœur. Madame de B. avait été toute
505 sa vie dans la position de rendre beaucoup de services : liée avec M. de Choiseul, elle avait pu, pendant ce long ministère, être utile à bien des gens. Deux des hommes les plus influents pendant la Terreur avaient des obligations à madame de B. ; ils s'en souvinrent et se montrèrent reconnaissants. Veillant
510 sans cesse sur elle, ils ne permirent pas qu'elle fût atteinte ; ils risquèrent plusieurs fois leurs vies pour dérober la sienne aux

1. **Sa société** : sa compagnie.

La livre est la monnaie utilisée à l'époque. Vingt mille livres = environ 25 000 euros. La rente est le revenu annuel que reçoit le propriétaire d'un bien qui rapporte de l'argent.

Saint-Germain est une commune située à une vingtaine de kilomètres de Paris. La famille de B. (Beauvau-Craon) y possédait le Château du Val.

M. de Choiseul fut le chef du gouvernement de Louis XV pendant douze ans.

fureurs révolutionnaires ➊ : car on doit remarquer qu'à cette époque funeste, les chefs mêmes des partis les plus violents ne pouvaient faire un peu de bien sans danger ; il semblait que, sur 515 cette terre désolée, on ne pût régner que par le mal, tant lui seul donnait et ôtait la puissance.

Madame de B. n'alla point en prison ; elle fut gardée chez elle, sous prétexte de sa mauvaise santé. Charles, l'abbé et moi, nous restâmes auprès d'elle et nous lui donnions tous nos soins. Rien 520 ne peut peindre l'état d'anxiété et de terreur des journées que nous passâmes alors, lisant chaque soir, dans les journaux, la condamnation et la mort des amis de madame de B., et tremblant à tout instant que ses protecteurs n'eussent plus le pouvoir de la garantir[1] du même sort. Nous sûmes qu'en effet elle 525 était au moment de périr, lorsque la mort de Robespierre ➋ mit un terme à tant d'horreurs. On respira ; les gardes quittèrent la maison de madame de B., et nous restâmes tous quatre dans la même solitude, comme on se retrouve, j'imagine, après une grande calamité à laquelle on a échappé ensemble. On aurait 530 cru que tous les liens s'étaient resserrés par le malheur : j'avais senti que là, du moins, je n'étais pas étrangère.

Si j'ai connu quelques instants doux dans ma vie, depuis la perte des illusions de mon enfance, c'est l'époque qui suivit ces temps désastreux. Madame de B. possédait au suprême degré 535 ce qui fait le charme de la vie intérieure : indulgente[2] et facile,

1. **Le pouvoir de la garantir** : le pouvoir de la protéger.
2. **Indulgente** : qui excuse facilement les fautes des autres.

➊ **Durant la Terreur, le tribunal révolutionnaire pourchasse les opposants à la Révolution. Il prononce plus de 2 500 condamnations à mort (dont 80 % concernent le tiers état et 20 % la noblesse et le clergé).**

➋ **Robespierre est un homme politique guillotiné en 1794, souvent considéré comme le meneur de la Terreur.**

on pouvait tout dire devant elle ; elle savait deviner ce que voulait dire ce qu'on avait dit. Jamais une interprétation sévère ou infidèle ne venait glacer la confiance ; les pensées passaient pour ce qu'elles valaient ; on n'était responsable de rien. Cette qua-
540 lité eût fait le bonheur des amis de madame de B., quand bien même elle n'eût possédé que celle-là. Mais combien d'autres grâces n'avait-elle pas encore ! Jamais on ne sentait de vide ni d'ennui dans sa conversation ; tout lui servait d'aliment : l'intérêt qu'on prend aux petites choses, qui est de la futilité[1] dans les
545 personnes communes, est la source de mille plaisirs avec une personne distinguée ; car c'est le propre des esprits supérieurs de faire quelque chose de rien. L'idée la plus ordinaire devenait féconde si elle passait par la bouche de madame de B. ; son esprit et sa raison savaient la revêtir de mille nouvelles couleurs.

550 Charles avait des rapports de caractère avec madame de B., et son esprit aussi ressemblait au sien, c'est-à-dire qu'il était ce que celui de madame de B. avait dû être, juste, ferme, étendu, mais sans modifications ; la jeunesse ne les connaît pas : pour elle, tout est bien, ou tout est mal, tandis que l'écueil de la
555 vieillesse[2] est souvent de trouver que rien n'est tout à fait bien, et rien tout à fait mal. Charles avait les deux belles passions de son âge, la justice et la vérité. J'ai dit qu'il haïssait jusqu'à l'ombre de l'affectation ; il avait le défaut d'en voir quelquefois où il n'y en avait pas. Habituellement contenu[3], sa confiance
560 était flatteuse ; on voyait qu'il la donnait, qu'elle était le fruit de l'estime, et non le penchant de son caractère : tout ce qu'il accordait avait du prix, car presque rien en lui n'était involontaire, et

1. **Qui est de la futilité** : qui manque de profondeur et d'intérêt.
2. **L'écueil de la vieillesse** : le mal de la vieillesse.
3. **Contenu** : réservé, peu expansif.

tout cependant était naturel. Il comptait tellement sur moi qu'il n'avait pas une pensée qu'il ne me dît aussitôt. Le soir, assis
565 autour d'une table, les conversations étaient infinies : notre vieil abbé y tenait sa place ; il s'était fait un enchaînement si complet d'idées fausses, et il les soutenait avec tant de bonne foi, qu'il était une source inépuisable d'amusement pour madame de B., dont l'esprit juste et lumineux faisait admirablement ressortir
570 les absurdités du pauvre abbé, qui ne se fâchait jamais ; elle jetait, tout au travers de son *ordre d'idées*, de grands traits de bon sens que nous comparions aux grands coups d'épée de Roland ou de Charlemagne ➲. Madame de B. aimait à marcher ; elle se promenait tous les matins dans la forêt de Saint-Germain,
575 donnant le bras à l'abbé ; Charles et moi nous la suivions de loin. C'est alors qu'il me parlait de tout ce qui l'occupait, de ses projets, de ses espérances, de ses idées sur tout, sur les choses, sur les hommes, sur les événements. Il ne me cachait rien, et il ne se doutait pas qu'il me confiât quelque chose.

580 Depuis si longtemps il comptait sur moi, que mon amitié était pour lui comme sa vie ; il en jouissait sans la sentir ; il ne me demandait ni intérêt ni attention ; il savait bien qu'en me parlant de lui, il me parlait de moi, et que j'étais plus *lui* que lui-même : charme d'une telle confiance, vous pouvez tout rempla-
585 cer, remplacer le bonheur même ! Je ne pensais jamais à parler à Charles de ce qui m'avait tant fait souffrir ; je l'écoutais, et ces conversations avaient sur moi je ne sais quel effet magique, qui amenait l'oubli de mes peines. S'il m'eût questionnée, il m'en eût fait souvenir ; alors je lui aurais tout dit : mais il n'imaginait

➲ Telle l'épée de ces grands guerriers du Moyen Âge, l'intelligence de madame de B. est capable d'abattre toutes les idées fausses de l'abbé.

590 pas que j'avais aussi un secret. On était accoutumé à me voir souffrante ; et madame de B. faisait tant pour mon bonheur qu'elle devait me croire heureuse. J'aurais dû l'être ; je me le disais souvent ; je m'accusais d'ingratitude ou de folie ; je ne sais si j'aurais osé avouer jusqu'à quel point ce mal sans remède
595 de ma couleur me rendait malheureuse.

Il y a quelque chose d'humiliant à ne pas savoir se soumettre à la nécessité ➲ : aussi, ces douleurs, quand elles maîtrisent l'âme, ont tous les caractères du désespoir. Ce qui m'intimidait aussi avec Charles, c'est cette tournure un peu sévère de ses
600 idées. Un soir, la conversation s'était établie sur la pitié, et on se demandait si les chagrins inspirent plus d'intérêt par leurs résultats ou par leurs causes ➲. Charles s'était prononcé pour la cause ; il pensait donc qu'il fallait que toutes les douleurs fussent raisonnables.

605 Mais qui peut dire ce que c'est que la raison ? est-elle la même pour tout le monde ? tous les cœurs ont-ils tous les mêmes besoins ? et le malheur n'est-il pas la privation des besoins du cœur ?

Il était rare cependant que nos conversations du soir me
610 ramenassent ainsi à moi-même ; je tâchais d'y penser le moins que je pouvais ; j'avais ôté de ma chambre tous les miroirs, je portais toujours des gants ; mes vêtements cachaient mon cou et mes bras, et j'avais adopté, pour sortir, un grand chapeau avec un voile, que souvent même je gardais dans la maison. Hélas !

➲ **Ourika s'accuse de n'être pas capable d'accepter son sort, de se laisser dévorer par son malheur.**

➲ **Autrement dit : pour compatir au malheur de quelqu'un, faut-il trouver que la cause de son chagrin est juste ? ou bien faut-il s'attacher surtout à ce qu'il ressent, sans se demander s'il a une bonne raison d'être triste ?**

615 je me trompais ainsi moi-même : comme les enfants, je fermais les yeux, et je croyais qu'on ne me voyait pas.

Vers la fin de l'année 1795, la Terreur était finie, et l'on commençait à se retrouver ; les débris de la société de madame de B. se réunirent autour d'elle, et je vis avec peine le cercle 620 de ses amis s'augmenter. Ma position était si fausse dans le monde, que plus la société rentrait dans son ordre naturel, plus je m'en sentais dehors. Toutes les fois que je voyais arriver chez madame de B. des personnes qui n'y étaient pas encore venues, j'éprouvais un nouveau tourment. L'expression de sur-625 prise mêlée de dédain que j'observais sur leur physionomie commençait à me troubler ; j'étais sûre d'être bientôt l'objet d'un aparté[1] dans l'embrasure de la fenêtre, ou d'une conversation à voix basse : car il fallait bien se faire expliquer comment une négresse était admise dans la société intime de madame de B. 630 Je souffrais le martyre pendant ces éclaircissements ; j'aurais voulu être transportée dans ma patrie barbare, au milieu des sauvages qui l'habitent ➲, moins à craindre pour moi que cette société cruelle qui me rendait responsable du mal qu'elle seule avait fait. J'étais poursuivie, plusieurs jours de suite, par le sou-635 venir de cette physionomie dédaigneuse[2] ; je la voyais en rêve, je la voyais à chaque instant ; elle se plaçait devant moi comme ma propre image. Hélas ! elle était celle des chimères dont je me laissais obséder ! Vous ne m'aviez pas encore appris, ô mon Dieu ! à conjurer ces fantômes ; je ne savais pas qu'il n'y a de 640 repos qu'en vous. À présent, c'était dans le cœur de Charles que je cherchais un abri ; j'étais fière de son amitié, je l'étais encore

1. **Aparté** : conversation à l'écart des autres.
2. **Cette physionomie dédaigneuse** : ce visage exprimant le mépris.

➲ **Ourika parle du Sénégal en termes péjoratifs (« barbare », « sauvages ») : elle a complètement assimilé le point de vue des colons blancs.**

plus de ses vertus[1] ; je l'admirais comme ce que je connaissais de plus parfait sur la terre. J'avais cru autrefois aimer Charles comme un frère ; mais depuis que j'étais toujours souffrante,
645 il me semblait que j'étais vieillie, et que ma tendresse pour lui ressemblait plutôt à celle d'une mère. Une mère, en effet, pouvait seule éprouver ce désir passionné de son bonheur, de ses succès ; j'aurais volontiers donné ma vie pour lui épargner un moment de peine. Je voyais bien avant lui l'impression qu'il
650 produisait sur les autres ; il était assez heureux pour ne s'en pas soucier : c'est tout simple ; il n'avait rien à en redouter, rien ne lui avait donné cette inquiétude habituelle que j'éprouvais sur les pensées des autres ; tout était harmonie dans son sort, tout était désaccord dans le mien. Un matin, un ancien ami de madame
655 de B. vint chez elle ; il était chargé d'une proposition de mariage pour Charles : mademoiselle de Thémines était devenue, d'une manière bien cruelle, une riche héritière ; elle avait perdu le même jour, sur l'échafaud ➲, sa famille entière ; il ne lui restait plus qu'une grande tante, autrefois religieuse, et qui, devenue
660 tutrice de mademoiselle de Thémines, regardait comme un devoir de la marier, et voulait se presser, parce qu'ayant plus de quatre-vingts ans, elle craignait de mourir et de laisser ainsi sa nièce seule et sans appui dans le monde ➲. Mademoiselle de Thémines réunissait tous les avantages de la naissance, de
665 la fortune et de l'éducation ; elle avait seize ans ; elle était belle

1. **Vertus** : qualités morales.

➲ **L'échafaud est l'estrade sur laquelle était installée la guillotine.**

➲ **À cette époque, on considère qu'une jeune femme de la noblesse ne peut être responsable d'elle-même. Un parent plus âgé doit la guider, puis elle doit se ranger sous l'autorité de son mari.**

comme le jour : on ne pouvait hésiter. Madame de B. en parla à Charles, qui d'abord fut un peu effrayé de se marier si jeune : bientôt il désira voir mademoiselle de Thémines ; l'entrevue eut lieu, et alors il n'hésita plus. Anaïs de Thémines possédait en effet tout ce qui pouvait plaire à Charles ; jolie sans s'en douter, et d'une modestie si tranquille qu'on voyait qu'elle ne devait qu'à la nature cette charmante vertu. Madame de Thémines permit à Charles d'aller chez elle, et bientôt il devint passionnément amoureux. Il me racontait les progrès de ses sentiments : j'étais impatiente de voir cette belle Anaïs, destinée à faire le bonheur de Charles. Elle vint enfin à Saint-Germain ; Charles lui avait parlé de moi ; je n'eus point à supporter d'elle ce coup d'œil dédaigneux et scrutateur qui me faisait toujours tant de mal ➲ : elle avait l'air d'un ange de bonté. Je lui promis qu'elle serait heureuse avec Charles ; je la rassurai sur sa jeunesse, je lui dis qu'à vingt et un ans il avait la raison solide d'un âge bien plus avancé[1]. Je répondis à toutes ses questions : elle m'en fit beaucoup, parce qu'elle savait que je connaissais Charles depuis son enfance ; et il m'était si doux d'en dire du bien que je ne me lassais pas d'en parler.

Les arrangements d'affaires retardèrent de quelques semaines la conclusion du mariage. Charles continuait à aller chez madame de Thémines, et souvent il restait à Paris deux ou trois jours de suite : ces absences m'affligeaient, et j'étais mécontente de moi-même, en voyant que je préférais mon bonheur à celui de Charles ; ce n'est pas ainsi que j'étais accoutumée à aimer. Les jours où il revenait étaient des jours de fête ; il me racontait

1. **Il avait la raison solide d'un âge bien plus avancé** : il avait une grande maturité de jugement.

➲ **Le regard des autres sur Ourika est terrible : ceux qui la rencontrent pour la première fois la jugent instantanément comme une inférieure, et la scrutent comme si elle cachait quelque chose d'anormal.**

ce qui l'avait occupé ; et s'il avait fait quelques progrès dans le cœur d'Anaïs, je m'en réjouissais avec lui. Un jour pourtant il
695 me parla de la manière dont il voulait vivre avec elle :

« Je veux obtenir toute sa confiance, me dit-il, et lui donner toute la mienne ; je ne lui cacherai rien, elle saura toutes mes pensées, elle connaîtra tous les mouvements secrets de mon cœur ; je veux qu'il y ait entre elle et moi une confiance comme
700 la nôtre, Ourika. »

Comme la nôtre ! Ce mot me fit mal ; il me rappela que Charles ne savait pas le seul secret de ma vie, et il m'ôta le désir de le lui confier. Peu à peu les absences de Charles devinrent plus longues ; il n'était presque plus à Saint-Germain que des
705 instants ; il venait à cheval pour mettre moins de temps en chemin, il retournait l'après-dînée[1] à Paris ; de sorte que tous les soirs se passaient sans lui. Madame de B. plaisantait souvent de ces longues absences ; j'aurais bien voulu faire comme elle !

Un jour, nous nous promenions dans la forêt. Charles avait
710 été absent presque toute la semaine : je l'aperçus tout à coup à l'extrémité de l'allée où nous marchions ; il venait à cheval, et très vite. Quand il fut près de l'endroit où nous étions, il sauta à terre et se mit à se promener avec nous : après quelques minutes de conversation générale, il resta en arrière avec moi, et nous
715 recommençâmes à causer comme autrefois ; j'en fis la remarque.

« Comme autrefois ! s'écria-t-il ; ah ! quelle différence ! avais-je donc quelque chose à dire dans ce temps-là ? Il me semble que je n'ai commencé à vivre que depuis deux mois. Ourika, je ne vous dirai jamais ce que j'éprouve pour elle ! Quelquefois je
720 crois sentir que mon âme tout entière va passer dans la sienne. Quand elle me regarde, je ne respire plus ; quand elle rougit,

1. **Après-dînée** : ici, après-midi.

je voudrais me prosterner à ses pieds pour l'adorer. Quand je pense que je vais être le protecteur de cet ange, qu'elle me confie sa vie, sa destinée ; ah ! que je suis glorieux de la mienne ! Que je la rendrai heureuse ! Je serai pour elle le père, la mère qu'elle a perdus : mais je serai aussi son mari, son amant ! Elle me donnera son premier amour ; tout son cœur s'épanchera dans le mien ; nous vivrons de la même vie, et je ne veux pas que, dans le cours de nos longues années, elle puisse dire qu'elle ait passé une heure sans être heureuse. Quelles délices, Ourika, de penser qu'elle sera la mère de mes enfants, qu'ils puiseront la vie dans le sein d'Anaïs ! Ah ! ils seront doux et beaux comme elle ! Qu'ai-je fait, ô Dieu ! pour mériter tant de bonheur ! »

Hélas ! j'adressais en ce moment au ciel une question toute contraire ! Depuis quelques instants, j'écoutais ces paroles passionnées avec un sentiment indéfinissable. Grand Dieu ! vous êtes témoin que j'étais heureuse du bonheur de Charles : mais pourquoi avez-vous donné la vie à la pauvre Ourika ? pourquoi n'est-elle pas morte sur ce bâtiment négrier d'où elle fut arrachée, ou sur le sein de sa mère ? Un peu de sable d'Afrique eût recouvert son corps, et ce fardeau eût été bien léger ! Qu'importait au monde qu'Ourika vécût ? Pourquoi était-elle condamnée à la vie ? C'était donc pour vivre seule, toujours seule, jamais aimée ! Ô mon Dieu, ne le permettez pas ! Retirez de la terre la pauvre Ourika ! Personne n'a besoin d'elle : n'est-elle pas seule dans la vie ? Cette affreuse pensée me saisit avec plus de violence qu'elle n'avait encore fait. Je me sentis fléchir, je tombai sur les genoux, mes yeux se fermèrent, et je crus que j'allais mourir.

En achevant ces paroles, l'oppression de la pauvre religieuse parut s'augmenter ; sa voix s'altéra[1], et quelques larmes

1. **Sa voix s'altéra :** sa voix se modifia, marquée par l'émotion.

coulèrent le long de ses joues flétries[1]. Je voulus l'engager à suspendre son récit ; elle s'y refusa.

Ce n'est rien, me dit-elle ; maintenant le chagrin ne dure pas dans mon cœur : la racine en est coupée. Dieu a eu pitié de moi ; 755 il m'a retirée lui-même de cet abîme où je n'étais tombée que faute de le connaître et de l'aimer. N'oubliez donc pas que je suis heureuse : mais, hélas ! ajouta-t-elle, je ne l'étais point alors.

Jusqu'à l'époque dont je viens de vous parler, j'avais supporté mes peines ; elles avaient altéré ma santé, mais j'avais conservé 760 ma raison et une sorte d'empire[2] sur moi-même : mon chagrin, comme le ver qui dévore le fruit, avait commencé par le cœur ; je portais dans mon sein le germe de la destruction, lorsque tout était encore plein de vie au dehors de moi. La conversation me plaisait, la discussion m'animait ; j'avais même conservé 765 une sorte de gaîté d'esprit ; mais j'avais perdu les joies du cœur. Enfin, jusqu'à l'époque dont je viens de vous parler, j'étais plus forte que mes peines ; je sentais qu'à présent mes peines seraient plus fortes que moi.

1. **Flétries** : fripées, ridées.
2. **Empire** : contrôle.

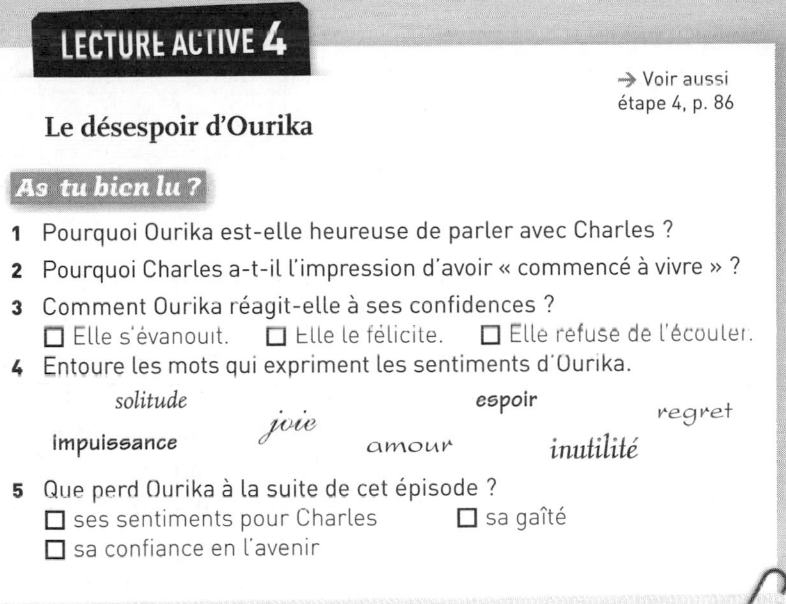

LECTURE ACTIVE 4

→ Voir aussi étape 4, p. 86

Le désespoir d'Ourika

As-tu bien lu ?

1 Pourquoi Ourika est-elle heureuse de parler avec Charles ?

2 Pourquoi Charles a-t-il l'impression d'avoir « commencé à vivre » ?

3 Comment Ourika réagit-elle à ses confidences ?
- ☐ Elle s'évanouit.
- ☐ Elle le félicite.
- ☐ Elle refuse de l'écouter.

4 Entoure les mots qui expriment les sentiments d'Ourika.

solitude — espoir — regret — impuissance — joie — amour — inutilité

5 Que perd Ourika à la suite de cet épisode ?
- ☐ ses sentiments pour Charles
- ☐ sa gaîté
- ☐ sa confiance en l'avenir

Atelier

Symboliser des émotions

▶ ***Objectif.*** Comprendre et mettre en images la souffrance d'Ourika.

▶ ***Matériel.*** Feutres, crayons de couleur, feuilles de papier A3.

▶ ***Préparation.*** En groupe (3 ou 4 élèves), mettez-vous d'accord sur trois éléments qui pourraient représenter le malheur d'Ourika : cela peut être un symbole de ce qu'elle désire, ou de ce qui l'empêche de réaliser ses rêves, ou bien d'un moment-clé de sa vie... Si l'inspiration vous manque, relisez les pages 33, 50 ou 51. Réalisez ensuite une illustration pour chaque élément choisi.

▶ ***Réalisation.*** Présentez vos illustrations, en expliquant précisément les raisons de vos choix.

▶ ***Réfléchir ensemble.*** Quelles sont les causes du désespoir d'Ourika ? Quelles conséquences cela a-t-il sur sa vie et sur son caractère ? Te sens-tu touché par les émotions qu'elle exprime ?

4

Charles me rapporta dans ses bras jusqu'à la maison ; là tous
770 les secours me furent donnés, et je repris connaissance. En
ouvrant les yeux, je vis madame de B. à côté de mon lit ; Charles
me tenait une main ; ils m'avaient soignée eux-mêmes, et je vis
sur leurs visages un mélange d'anxiété et de douleur qui pénétra
jusqu'au fond de mon âme : je sentis la vie revenir en moi ; mes
775 pleurs coulèrent. Madame de B. les essuyait doucement ; elle
ne me disait rien, elle ne me faisait point de questions : Charles
m'en accabla. Je ne sais ce que je lui répondis ; je donnai pour
cause à mon accident le chaud, la longueur de la promenade :
il me crut, et l'amertume rentra dans mon âme en voyant qu'il
780 me croyait ➔ : mes larmes se séchèrent ; je me dis qu'il était
donc bien facile de tromper ceux dont l'intérêt était ailleurs ;
je retirai ma main qu'il tenait encore, et je cherchai à paraître
tranquille. Charles partit, comme de coutume, à cinq heures ;
j'en fus blessée ; j'aurais voulu qu'il fût inquiet de moi : je souf-
785 frais tant ! Il serait parti de même, je l'y aurais forcé ; mais je
me serais dit qu'il me devait le bonheur de sa soirée, et cette
pensée m'eût consolée. Je me gardai bien de montrer à Charles
ce mouvement de mon cœur ; les sentiments délicats ont une
sorte de pudeur ; s'ils ne sont devinés, ils sont incomplets : on
790 dirait qu'on ne peut les éprouver qu'à deux.

➔ **Ourika est déçue que Charles ne devine pas qu'elle est profondément malheureuse ; elle prend cela pour une marque d'indifférence.**

À peine Charles fut-il parti, que la fièvre me prit avec une grande violence ; elle augmenta les deux jours suivants. Madame de B. me soignait avec sa bonté accoutumée ; elle était désespérée de mon état, et de l'impossibilité de me faire transporter à
795 Paris, où le mariage de Charles l'obligeait à se rendre le lendemain. Les médecins dirent à madame de B. qu'ils répondaient de ma vie si elle me laissait à Saint-Germain ; elle s'y résolut, et elle me montra en partant une affection si tendre qu'elle calma un moment mon cœur. Mais après son départ, l'isolement com-
800 plet, réel, où je me trouvais pour la première fois de ma vie, me jeta dans un profond désespoir. Je voyais se réaliser cette situation que mon imagination s'était peinte tant de fois ; je mourais loin de ce que j'aimais, et mes tristes gémissements ne parvenaient pas même à leurs oreilles : hélas ! ils eussent
805 troublé leur joie. Je les voyais, s'abandonnant à toute l'ivresse du bonheur, loin d'Ourika mourante. Ourika n'avait qu'eux dans la vie ; mais eux n'avaient pas besoin d'Ourika : personne n'avait besoin d'elle ! Cet affreux sentiment de l'inutilité de l'existence est celui qui déchire le plus profondément le cœur : il me donna
810 un tel dégoût de la vie, que je souhaitai sincèrement mourir de la maladie dont j'étais attaquée. Je ne parlais pas, je ne donnais presque aucun signe de connaissance[1], et cette seule pensée était bien distincte en moi : *je voudrais mourir.*

Dans d'autres moments, j'étais plus agitée ; je me rappelais
815 tous les mots de cette dernière conversation que j'avais eue avec Charles dans la forêt ; je le voyais nageant dans cette mer de délices qu'il m'avait dépeinte, tandis que je mourais abandonnée, seule dans la mort comme dans la vie. Cette idée me

1. **Aucun signe de connaissance** : aucun signe de vie.

donnait une irritation[1] plus pénible encore que la douleur. Je
820 me créais des chimères pour satisfaire à ce nouveau sentiment ; je me représentais Charles arrivant à Saint-Germain ; on lui disait : « Elle est morte. » Eh bien ! le croiriez-vous ? je jouissais de sa douleur ; elle me vengeait ; et de quoi ? grand Dieu ! de ce qu'il avait été l'ange protecteur de ma vie ! Cet affreux
825 sentiment me fit bientôt horreur ; j'entrevis que, si la douleur n'était pas une faute, s'y livrer comme je le faisais pouvait être criminel.

Mes idées prirent alors un autre cours ; j'essayai de me vaincre, de trouver en moi-même une force pour combattre les
830 sentiments qui m'agitaient ; mais je ne la cherchais point, cette force, où elle était. Je me fis honte de mon ingratitude. Je mourrai, me disais-je, je veux mourir ; mais je ne veux pas laisser les passions haineuses approcher de mon cœur. Ourika est un enfant déshérité ; mais l'innocence lui reste : je ne la laisserai
835 pas se flétrir en moi par l'ingratitude. Je passerai sur la terre comme une ombre ; mais, dans le tombeau, j'aurai la paix. Ô mon Dieu ! ils sont déjà bien heureux : eh bien ! donnez-leur encore la part d'Ourika, et laissez-la mourir comme la feuille tombe en automne. N'ai-je donc pas assez souffert ! Je ne sortis
840 de la maladie qui avait mis ma vie en danger que pour tomber dans un état de langueur[2] où le chagrin avait beaucoup de part.

Madame de B. s'établit à Saint-Germain après le mariage de Charles ; il y venait souvent accompagné d'Anaïs, jamais sans elle. Je souffrais toujours davantage quand ils étaient là. Je ne
845 sais si l'image du bonheur me rendait plus sensible ma propre infortune, ou si la présence de Charles réveillait le souvenir de

1. **Irritation** : colère.
2. **Langueur** : affaiblissement physique ou moral.

notre ancienne amitié ; je cherchais quelquefois à le retrouver, et je ne le reconnaissais plus. Il me disait pourtant à peu près tout ce qu'il me disait autrefois : mais son amitié présente ressemblait à son amitié passée, comme la fleur artificielle ressemble à la fleur véritable : c'est la même chose, hors la vie et le parfum.

Charles attribuait au dépérissement de ma santé le changement de mon caractère ; je crois que madame de B. jugeait mieux le triste état de mon âme, qu'elle devinait mes tourments secrets, et qu'elle en était vivement affligée : mais le temps n'était plus où je consolais les autres ; je n'avais plus pitié que de moi-même.

Anaïs devint grosse[1], et nous retournâmes à Paris : ma tristesse augmentait chaque jour. Ce bonheur intérieur si paisible, ces liens de famille si doux ! cet amour dans l'innocence, toujours aussi tendre, aussi passionné ; quel spectacle pour une malheureuse destinée à passer sa triste vie dans l'isolement ! à mourir sans avoir été aimée, sans avoir connu d'autres liens que ceux de la dépendance et de la pitié !

Les jours, les mois se passaient ainsi ; je ne prenais part à aucune conversation, j'avais abandonné tous mes talents ; si je supportais quelques lectures, c'était celles où je croyais retrouver la peinture imparfaite des chagrins qui me dévoraient. Je m'en faisais un nouveau poison, je m'enivrais de mes larmes ; et, seule dans ma chambre pendant des heures entières, je m'abandonnais à ma douleur.

La naissance d'un fils mit le comble au bonheur de Charles ; il accourut pour me le dire, et dans les transports de sa joie je

1. **Devint grosse** : tomba enceinte.

875 reconnus quelques accents de son ancienne confiance. Qu'ils me firent mal ! Hélas ! c'était la voix de l'ami que je n'avais plus ! et tous les souvenirs du passé, venaient à cette voix, déchirer de nouveau ma plaie.

L'enfant de Charles était beau comme Anaïs ; le tableau de 880 cette jeune mère avec son fils touchait tout le monde : moi seule, par un sort bizarre, j'étais condamnée à le voir avec amertume[1] ; mon cœur dévorait cette image d'un bonheur que je ne devais jamais connaître, et l'envie, comme le vautour, se nourrissait dans mon sein[2]. Qu'avais-je fait à ceux qui crurent me sauver 885 en m'amenant sur cette terre d'exil ? Pourquoi ne me laissait-on pas suivre mon sort ? Eh bien ! je serais la négresse esclave de quelque riche colon ; brûlée par le soleil, je cultiverais la terre d'un autre : mais j'aurais mon humble cabane pour me retirer le soir ; j'aurais un compagnon de ma vie, et des enfants de ma 890 couleur, qui m'appelleraient : « Ma mère ! » Ils appuieraient sans dégoût leur petite bouche sur mon front ; ils reposeraient leur tête sur mon cou, et s'endormiraient dans mes bras !

Qu'ai-je fait pour être condamnée à n'éprouver jamais les affections pour lesquelles seules mon cœur est créé ? Ô mon 895 Dieu ! ôtez-moi de ce monde ; je sens que je ne puis plus supporter la vie.

À genoux dans ma chambre, j'adressais au Créateur cette prière impie[3], quand j'entendis ouvrir ma porte : c'était l'amie de madame de B., la marquise de..., qui était revenue depuis peu

1. **Amertume** : tristesse mêlée de déception.
2. **Dans mon sein** : au fond de moi.
3. **Impie** : qui ne respecte pas les valeurs de la religion.

Ourika ne pourra jamais être aimée, ni être mère, et cette pensée la torture tant qu'elle se prend à envier la vie des esclaves. Elle semble inconsciente de la terrible réalité de cette vie.

900 d'Angleterre, où elle avait passé plusieurs années. Je la vis avec effroi arriver près de moi ; sa vue me rappelait toujours que, la première, elle m'avait révélé mon sort ; qu'elle m'avait ouvert cette mine de douleurs où j'avais tant puisé. Depuis qu'elle était à Paris, je ne la voyais qu'avec un sentiment pénible.

905 « Je viens vous voir et causer avec vous, ma chère Ourika, me dit-elle. Vous savez combien je vous aime depuis votre enfance, et je ne puis voir, sans une véritable peine, la mélancolie[1] dans laquelle vous vous plongez. Est-il possible, avec l'esprit[2] que vous avez, que vous ne sachiez pas tirer un meilleur parti de 910 votre situation ?

– L'esprit, madame, lui répondis-je, ne sert guère qu'à augmenter les maux véritables ; il les fait voir sous tant de formes diverses !

– Mais, reprit-elle, lorsque les maux sont sans remède, n'est-ce 915 pas une folie de refuser de s'y soumettre, et de lutter ainsi contre la nécessité[3] ? car enfin, nous ne sommes pas les plus forts.

– Cela est vrai, dis-je ; mais il me semble que, dans ce cas, la nécessité est un mal de plus.

– Vous conviendrez pourtant, Ourika, que la raison conseille 920 alors de se résigner[4] et de se distraire.

– Oui, madame ; mais, pour se distraire, il faut entrevoir ailleurs l'espérance.

– Vous pourriez du moins vous faire des goûts et des occupations pour remplir votre temps.

1. **Mélancolie** : état de profonde tristesse, dépression.
2. **Esprit** : ici, intelligence, capacité à réfléchir.
3. **La nécessité** : ici, ce que l'on ne peut pas changer.
4. **Se résigner** : accepter son sort.

925 – Ah ! madame, les goûts qu'on se fait, sont un effort, et ne sont pas un plaisir.

– Mais, dit-elle encore, vous êtes remplie de talents.

– Pour que les talents soient une ressource, madame, lui répondis-je, il faut se proposer un but ; mes talents seraient 930 comme la fleur du poète anglais, qui perdait son parfum dans le désert.

– Vous oubliez vos amis qui en jouiraient.

– Je n'ai point d'amis, madame ; j'ai des protecteurs, et cela est bien différent !

935 – Ourika, dit-elle, vous vous rendez bien malheureuse, et bien inutilement.

– Tout est inutile dans ma vie, madame, même ma douleur.

– Comment pouvez-vous prononcer un mot si amer ! vous, Ourika, qui vous êtes montrée si dévouée, lorsque vous restiez 940 seule à madame de B. pendant la Terreur ?

– Hélas ! madame, je suis comme ces génies malfaisants[1] qui n'ont de pouvoir que dans les temps de calamités, et que le bonheur fait fuir.

– Confiez-moi votre secret, ma chère Ourika ; ouvrez-moi 945 votre cœur ; personne ne prend à vous plus d'intérêt que moi, et peut-être que je vous ferai du bien.

– Je n'ai point de secret, madame, lui répondis-je, ma position et ma couleur sont tout mon mal, vous le savez.

– Allons donc, reprit-elle, pouvez-vous nier que vous renfer-950 mez au fond de votre âme une grande peine ? Il ne faut que vous voir un instant pour en être sûr. »

1. **Génies malfaisants** : êtres surnaturels qui prennent plaisir à faire le mal.

Je persistai à lui dire ce que je lui avais déjà dit ; elle s'impatienta, éleva la voix ; je vis que l'orage allait éclater.

« Est-ce là votre bonne foi, dit-elle, cette sincérité pour laquelle
955 on vous vante ? Ourika, prenez-y garde ; la réserve quelquefois conduit à la fausseté ➲.

– Eh ! que pourrais-je vous confier, madame, lui dis-je, à vous surtout qui, depuis si longtemps, avez prévu quel serait le malheur de ma situation ? À vous, moins qu'à personne, je n'ai rien
960 de nouveau à dire là-dessus.

– C'est ce que vous ne me persuaderez jamais, répliqua-t-elle ; mais puisque vous me refusez votre confiance, et que vous assurez que vous n'avez point de secret, eh bien ! Ourika, je me chargerai de vous apprendre que vous en avez un. Oui, Ourika,
965 tous vos regrets, toutes vos douleurs ne viennent que d'une passion malheureuse, d'une passion insensée ; et, si vous n'étiez pas folle d'amour pour Charles, vous prendriez fort bien votre parti d'être négresse. Adieu, Ourika, je m'en vais, et, je vous le déclare, avec bien moins d'intérêt pour vous que je n'en avais
970 apporté en venant ici. »

Elle sortit en achevant ces paroles. Je demeurai anéantie.

Que venait-elle de me révéler ! Quelle lumière affreuse avait-elle jetée sur l'abîme de mes douleurs ! Grand Dieu ! c'était comme la lumière qui pénétra une fois au fond des enfers,
975 et qui fit regretter les ténèbres à ses malheureux habitants. Quoi ! j'avais une passion criminelle ! c'est elle qui, jusqu'ici, dévorait mon cœur ! Ce désir de tenir ma place dans la chaîne des êtres, ce besoin des affections de la nature, cette douleur

➲ Garder ses sentiments pour soi est parfois une façon de mentir aux autres, de leur cacher la vérité.

de l'isolement, c'étaient les regrets d'un amour coupable ! et
980 lorsque je croyais envier l'image du bonheur, c'est le bonheur
lui-même qui était l'objet de mes vœux impies ➲ !

Mais qu'ai-je donc fait pour qu'on puisse me croire atteinte de
cette passion sans espoir ? Est-il donc impossible d'aimer plus
que sa vie avec innocence ? Cette mère qui se jeta dans la gueule
985 du lion pour sauver son fils, quel sentiment l'animait ? Ces
frères, ces sœurs qui voulurent mourir ensemble sur l'échafaud,
et qui priaient Dieu avant d'y monter, était-ce donc un amour
coupable qui les unissait ? L'humanité seule ne produit-elle pas
tous les jours des dévouements sublimes ? Pourquoi donc ne
990 pourrais-je aimer ainsi Charles, le compagnon de mon enfance,
le protecteur de ma jeunesse ?... Et cependant, je ne sais quelle
voix crie au fond de moi-même, qu'on a raison, et que je suis
criminelle. Grand Dieu ! je vais donc recevoir aussi le remords
dans mon cœur désolé ! Il faut qu'Ourika connaisse tous les
995 genres d'amertume, qu'elle épuise toutes les douleurs ! Quoi !
mes larmes désormais seront coupables ! il me sera défendu de
penser à lui ! quoi ! je n'oserai plus souffrir !

➲ **Ourika réalise qu'elle ne rêve pas d'être heureuse *comme* Charles, mais d'être heureuse *avec* Charles. Or, elle le considère comme son frère : elle se sent donc affreusement coupable d'éprouver cette passion amoureuse.**

LECTURE ACTIVE 5

→ Voir aussi
étape 5, p. 88

La seconde révélation

As-tu bien lu ?

1 Pourquoi Ourika craint-elle terriblement madame de… ?

2 Quel conseil madame de… donne-t-elle à la jeune fille ?
☐ de chercher un moyen de lutter contre l'injustice
☐ d'accepter sa destinée et de se divertir

3 À quoi Ourika attribue-t-elle « tout [son] mal » ?

4 Complète cette phrase de madame de… :
« Toutes vos douleurs ne viennent que d'une . . . . malheureuse, d'une . . . . insensée […]. »

5 Pourquoi Ourika se sent-elle coupable ?

Atelier

Amours impossibles

▶ ***Objectif.*** Présenter les couples maudits de la littérature sous la forme d'une bande-annonce radio.

▶ ***Matériel.*** Internet et/ou encyclopédie ; téléphone portable.

▶ ***Préparation.*** Par groupes, faites une recherche sur un des duos suivants : Orphée et Eurydice, Pyrame et Thisbé, Tristan et Iseult, Héloïse et Abélard, Roméo et Juliette, Cyrano et Roxane, Werther et Charlotte.

▶ ***Réalisation.*** À l'aide de l'enregistreur d'un portable, réalisez une publicité audio qui donne envie d'en savoir plus sur l'histoire du couple que vous avez choisi. Vous mettrez bien en valeur vos deux personnages, ainsi que l'obstacle qui se dresse entre eux… sans bien sûr révéler la fin !

▶ ***Réfléchir ensemble.*** Quels sont les obstacles qui peuvent s'opposer à l'amour ? Pense aux obstacles extérieurs, mais aussi à ceux que les personnages construisent eux-mêmes.

5

Ces affreuses pensées me jetèrent dans un accablement qui ressemblait à la mort. La même nuit, la fièvre me prit, et, 1000 en moins de trois jours, on désespéra de ma vie : le médecin déclara que, si l'on voulait me faire recevoir mes sacrements, il n'y avait pas un instant à perdre. On envoya chercher mon confesseur ; il était mort depuis peu de jours. Alors madame de B. fit avertir un prêtre de la paroisse ; il vint et m'adminis- 1005 tra l'extrême-onction, car j'étais hors d'état de recevoir le viatique ; je n'avais aucune connaissance, et on attendait ma mort à chaque instant. C'est sans doute alors que Dieu eut pitié de moi ; il commença par me conserver la vie : contre toute attente, mes forces se soutinrent. Je luttai ainsi environ quinze 1010 jours ; ensuite la connaissance[1] me revint. Madame de B. ne me quittait pas, et Charles paraissait avoir retrouvé pour moi son ancienne affection. Le prêtre continuait à venir me voir chaque jour, car il voulait profiter du premier moment pour me confesser ; je le désirais moi-même ; je ne sais quel mouvement

1. **La connaissance** : ici, la conscience.

Les sacrements sont les rites chrétiens destinés à accompagner les mourants.

L'extrême-onction est le sacrement donné par un prêtre à un malade inconscient, peu de temps avant la mort.

Le viatique est le sacrement donné à un mourant qui est encore conscient.

1015 me portait vers Dieu, et me donnait le besoin de me jeter dans ses bras et d'y chercher le repos. Le prêtre reçut l'aveu de mes fautes : il ne fut point effrayé de l'état de mon âme ; comme un vieux matelot, il connaissait toutes ces tempêtes. Il commença par me rassurer sur cette passion dont j'étais accusée :

1020 « Votre cœur est pur, me dit-il : c'est à vous seule que vous avez fait du mal ; mais vous n'en êtes pas moins coupable. Dieu vous demandera compte de votre propre bonheur qu'il vous avait confié ; qu'en avez vous fait ? Ce bonheur était entre vos mains, car il réside dans l'accomplissement de nos devoirs ; 1025 les avez-vous seulement connus ? Dieu est le but de l'homme : quel a été le vôtre ? Mais ne perdez pas courage ; priez Dieu, Ourika : il est là, il vous tend les bras ; il n'y a pour lui ni nègres ni blancs : tous les cœurs sont égaux devant ses yeux, et le vôtre mérite de devenir digne de lui. »

1030 C'est ainsi que cet homme respectable encourageait la pauvre Ourika. Ces paroles simples portaient dans mon âme je ne sais quelle paix que je n'avais jamais connue ; je les méditais sans cesse, et, comme d'une mine féconde, j'en tirais toujours quelque nouvelle réflexion. Je vis qu'en effet je n'avais point 1035 connu mes devoirs : Dieu en a prescrit aux personnes isolées comme à celles qui tiennent au monde ; s'il les a privées des liens du sang, il leur a donné l'humanité tout entière pour famille. La sœur de la charité[1], me disais-je, n'est point seule dans la vie, quoiqu'elle ait renoncé à tout ; elle s'est créé une 1040 famille de choix ; elle est la mère de tous les orphelins, la fille de tous les pauvres vieillards, la sœur de tous les malheureux. Des hommes du monde n'ont-ils pas souvent cherché un isolement

1. **Sœur de la charité** : religieuse.

volontaire ? Ils voulaient être seuls avec Dieu ; ils renonçaient à tous les plaisirs pour adorer, dans la solitude, la source pure de
1045 tout bien et de tout bonheur ; ils travaillaient, dans le secret de leur pensée, à rendre leur âme digne de se présenter devant le Seigneur. C'est pour vous, ô mon Dieu ! qu'il est doux d'embellir ainsi son cœur, de le parer, comme pour un jour de fête, de toutes les vertus qui vous plaisent. Hélas ! qu'avais-je fait ?
1050 Jouet insensé des mouvements involontaires de mon âme, j'avais couru après les jouissances de la vie, et j'en avais négligé le bonheur.

Mais il n'est pas encore trop tard ; Dieu, en me jetant sur cette terre étrangère, voulut peut-être me prédestiner à lui ; il m'arra-
1055 cha à la barbarie, à l'ignorance ; par un miracle de sa bonté, il me déroba aux vices de l'esclavage, et me fit connaître sa loi : cette loi me montre tous mes devoirs ; elle m'enseigne ma route : je la suivrai, ô mon Dieu ! je ne me servirai plus de vos bienfaits pour vous offenser, je ne vous accuserai plus de mes fautes.

1060 Ce nouveau jour sous lequel j'envisageais ma position fit rentrer le calme dans mon cœur, je m'étonnais de la paix qui succédait à tant d'orages : on avait ouvert une issue à ce torrent qui dévastait ses rivages, et maintenant il portait ses flots apaisés dans une mer tranquille. Je me décidai à me faire religieuse.
1065 J'en parlai à madame de B. ; elle s'en affligea, mais elle me dit : « Je vous ai fait tant de mal en voulant vous faire du bien, que je ne me sens pas le droit de m'opposer à votre résolution. » Charles fut plus vif dans sa résistance ; il me pria, il me conjura[1] de rester ; je lui dis : « Laissez-moi aller, Charles, dans le
1070 seul lieu où il me soit permis de penser sans cesse à vous... »

1. **Me conjura** : me supplia avec insistance.

Ici la jeune religieuse finit brusquement son récit. Je continuai à lui donner des soins : malheureusement ils furent inutiles ; elle mourut à la fin d'octobre ; elle tomba avec les dernières feuilles de l'automne.

Vincent van Gogh (1853-1890), *Paysage d'automne*, 1885.
Huile sur bois, 64 × 89 cm. Otterlo, Musée Kröller-Müller.

Ruines sur le mont Palatin à Rome.
Gravure, 1870.

LE DOSSIER

Ourika

Un récit tragique

REPÈRES

PARCOURS DE L'ŒUVRE

TEXTES ET IMAGES

Qu'est-ce que le romantisme ?

Dans la première moitié du XIXe siècle, une génération de jeunes écrivains propose une nouvelle façon d'écrire et de voir le monde.

● L'EXALTATION DES PASSIONS

Les romantiques pensent que ce sont les sentiments qui donnent accès au monde et à soi-même. Il faut donc les vivre pleinement, quitte à en souffrir, et non chercher à les dominer comme le voudrait l'esprit de raison classique. Ils développent un style lyrique pour *chanter* ces sentiments, en leur donnant toute la puissance expressive possible.

Le style lyrique est une façon de s'exprimer qui met en valeur les sentiments, en s'appuyant notamment sur des images et une ponctuation expressive.

> « L'homme est un apprenti, la douleur est son maître,
> Et nul ne se connaît tant qu'il n'a pas souffert. »
>
> Alfred de Musset (1810-1857),
> *Les Nuits*, « La nuit d'octobre », 1837.

● SOLITUDE ET MARGINALITÉ

La sensibilité exacerbée de l'écrivain romantique fait qu'il se sent à l'écart, qu'il se vit comme incompris et solitaire. C'est dans cette solitude qu'il va souvent puiser son inspiration et se confronter à lui-même, comme le montrent par exemple les poèmes *L'Isolement*, d'Alphonse de Lamartine (1790-1869), *La Nuit de décembre*, d'Alfred de Musset (1810-1857) ou encore *Solitude*, de Lord Byron (1788-1824).

De ce point de vue, on peut dire qu'Ourika est un personnage romantique : même si elle est entourée, elle vit dans une solitude absolue qui ouvre en elle un torrent de sentiments nouveaux.

● L'ENGAGEMENT SOCIAL ET POLITIQUE

Le sentiment de solitude et d'exclusion éprouvé par les romantiques les rapproche de tous ceux qui souffrent. Ainsi, l'écrivain romantique met sa force créatrice au service de l'humanité, n'hésitant pas à placer les plus vulnérables au centre de son œuvre, comme le font Victor Hugo dans *Les Misérables* ou Claire de Duras dans *Ourika*.

« Le ciel m'a fait poète, mais c'est pour vous faire entendre le cri de la misère du peuple, pour vous révéler ses droits, ses forces, ses besoins et ses espérances [...]. »

George Sand (1804-1876), « Second dialogue familier sur la poésie des prolétaires », in *La Revue indépendante*, 1842.

Chateaubriand par Girodet

François-René de Chateaubriand (1768-1848) est considéré comme un précurseur du romantisme français. Il fut aussi un grand ami de Claire de Duras, qu'il appelait « ma chère sœur ». Ce portrait est une belle représentation de l'artiste romantique : seul dans la lumière et le vent du crépuscule, il contemple les ruines du passé. Les doigts glissés sous son gilet près du cœur et le regard tourné vers l'intérieur évoquent une grande profondeur de sentiments.

Anne-Louis Girodet (1767-1824), *Portrait de Chateaubriand*, 1811. Huile sur toile, 130 × 96 cm. Musée national du Château de Versailles.

Qu'est-ce qu'un roman historique ?

Les romans et les nouvelles historiques s'attachent à retranscrire des événements historiques à travers le vécu de personnages fictifs ou réels.
C'est à l'époque romantique que le genre prend son essor.

• L'INVENTION DU ROMAN HISTORIQUE

Jusqu'au XIXe siècle, les romanciers ne cherchent pas à reconstituer le passé dans son détail : il sert de toile de fond à l'intrigue, influence parfois les péripéties, mais sans réelle intention documentaire. Dans les années 1820, Walter Scott en fait l'élément central de ses romans, montrant que les procédés d'écriture romanesque permettent de recréer le passé et de le rendre plus vivant.

Walter Scott est un romancier anglais, appartenant au mouvement romantique. Son célèbre Ivanhoé *(1819) évoque l'Angleterre du XIIe siècle.*

• COMMENT DÉFINIR LE GENRE ?

Au contraire d'un manuel d'histoire, le roman historique ne cherche pas à représenter objectivement une période ou des événements. Il nous propose de voir ces derniers à travers les yeux des personnages, et d'en ressentir la dimension humaine. Dans *Ourika*, il est intéressant de découvrir la Révolution française selon un double point de vue : celui de la noblesse menacée de perdre ses privilèges et celui d'une jeune fille noire qui espère un instant voir régner l'égalité.

• PERSONNAGES DE FICTION ET PERSONNAGES RÉELS

Les écrivains choisissent souvent un personnage fictif pour nous faire entrer dans l'Histoire. C'est le cas dans les romans historiques destinés à la jeunesse, dans lesquels les événements participent à la formation d'un jeune héros ou d'une jeune héroïne.

Les auteurs de romans historiques peuvent également choisir des personnages ayant réellement existé, comme le fait Claire de Duras dans *Ourika*. Ils font alors des recherches pour avoir la connaissance la plus précise possible des faits et gestes de ces protagonistes, et s'approcher au mieux de la vérité historique. Mais ils leur prêtent aussi des pensées, des mots, des sentiments pour pouvoir écrire dialogues et scènes d'action. Autrement dit, il y a toujours une part de fiction dans le roman historique.

D'autres romans historiques sur les Lumières et la Révolution

- ***La Demoiselle des Lumières, fille de Voltaire,***
d'Annie Jay (2012)
L'histoire d'une jeune fille pauvre qui, au contact de Voltaire, va s'initier à la culture et se découvrir elle-même.

- ***Le Chevalier de Maison-Rouge,***
d'Alexandre Dumas (1846)
En 1793, la reine Marie-Antoinette attend le procès qui la conduira à l'échafaud ; mais un mystérieux chevalier va tout mettre en œuvre pour essayer de la sauver…

- ***Les Adieux à la Reine,***
de Chantal Thomas (2002)
À Versailles, en 1789, la rumeur dit que le peuple a pris la Bastille ; les courtisans fuient, laissant presque seuls le roi et la reine…

Qu'est-ce qu'un personnage tragique ?

Le personnage tragique est piégé dans une situation qui l'empêche de réaliser ses désirs. Il découvre que la seule issue possible est la mort ou une souffrance extrême.

● LA TOUTE-PUISSANCE DU DESTIN

Dans les tragédies antiques, les dieux s'opposent aux désirs des hommes en leur imposant un destin cruel pour les punir d'avoir cru être puissants et libres. De façon plus générale, le personnage tragique est confronté à des forces qui le dépassent et qu'il ne peut fuir. Par exemple, Roméo et Juliette ne peuvent échapper ni à leur amour ni à la haine qui oppose leurs deux familles. De même, le gangster Scarface ne peut échapper ni à la justice ni à sa propre violence. Quant à Ourika, c'est le préjugé lié à la couleur de sa peau qui se heurte à son puissant désir d'aimer.

Le personnage tragique au théâtre

Dans l'Antiquité, un genre théâtral s'est construit autour du personnage tragique : la tragédie. Elle met en scène des personnages de haut rang qui voient leur orgueil plier devant la fatalité.
Mais, s'il est fréquemment lié au théâtre, le personnage tragique existe aussi dans de nombreux romans, poèmes ou films.

Masque tragique, mosaïque romaine découverte à Pompéi dans la Maison du Faune, IIe siècle av. J.-C., Naples, Musée archéologique national.
Les masques de tragédie antique permettent d'identifier clairement le sentiment de désespoir qui caractérise le personnage tragique.

L'IRONIE TRAGIQUE

Les personnages tragiques luttent contre leur destin contraire, mais tout ce qu'ils font pour cela finit par se retourner contre eux – comme si le destin se moquait cruellement de leurs illusions. Dans *Ourika*, cette ironie tragique est bien présente : l'héroïne semble sauvée de son destin d'esclave, elle croit pouvoir vivre une vie de noble privilégiée… mais elle réalise brutalement que sa couleur de peau et son sexe la privent de liberté, et qu'intérieurement, elle reste l'esclave du monde blanc.

LA TERREUR ET LA PITIÉ

Face à un personnage tragique, le lecteur (ou le spectateur) ressent une immense pitié, mais aussi un sentiment d'effroi. En effet, les souffrances terribles du personnage mettent en lumière à la fois la violence du monde et la violence des sentiments humains, sans qu'il y ait la moindre lueur d'espoir.

Une expression : « prendre au tragique »

Prendre un événement au tragique, c'est le voir avec un point de vue trop sombre, lui accorder une importance excessive, le percevoir comme violent et inévitable. Dans la vie quotidienne, il arrive qu'on se voie soi-même comme un personnage tragique, par exemple quand on pense « c'est toujours sur moi que ça tombe » ou « je n'y arriverai jamais ! »

Personnage de dessin animé bien connu, Calimero prend tout au tragique. Ses lamentations continuelles en finissent même par devenir… comiques !

Étape 1 • Étudier l'incipit*

SUPPORT • Introduction, lignes 1 à 99.

OBJECTIF • Comprendre l'organisation du récit.

Le médecin-narrateur

1 Lignes 1-32 : relève les mots et les expressions qui montrent que le médecin qui raconte l'histoire est un tout jeune homme.

2 Entoure l'adjectif qui caractérise le mieux ce médecin :

pressé **distant** empathique **autoritaire**

3 Avant de rencontrer la religieuse, à quoi attribue-t-il sa maladie ?

- ☐ Il pense qu'elle souffre d'avoir été enfermée malgré elle au couvent.
- ☐ Il pense qu'elle a attrapé froid dans ce couvent en ruines.

Une mystérieuse religieuse

4 Pour quelles raisons le narrateur* est-il surpris que la religieuse soit noire ?

5 Lignes 32-35 : relève deux citations qui montrent que cette religieuse a reçu une excellente éducation.

6 Ourika oppose sa situation passée (l. 65-73) à sa situation présente (l. 36-58).
Classe les mots et les expressions qu'elle utilise pour les caractériser.

	situation présente	situation passée
état moral	« heureuse »	....
état physique	....	....

Document 1 : Aya Cissoko, championne de boxe et écrivaine française

Voir le groupement de documents page 91.

Document 2 : Wangari Maathai, prix Nobel de la paix, militante de l'environnement et femme politique kényane

Ici, elle est photographiée en train de planter un arbre à Kiriti, au Kenya.
Voir le groupement de documents page 94.

Document 3 : Mae Jemison, astronaute américaine

L'astronaute Mae Jemison à bord de la navette spatiale *Endeavour* (STS-47) dans le cadre d'une mission menée par la Nasa et la Nasda (Agence nationale de développement spatial du Japon).

Voir le groupement de documents page 95.

Document 4 : Katherine Johnson, mathématicienne et ingénieure spatiale américaine

Image du film *Les Figures de l'ombre* (2016), de Theodore Melfi, avec Taraji Penda Henson dans le rôle de Katherine Johnson.

Voir le groupement de documents page 96.

Le passage du récit-cadre au récit enchâssé

7 Relis les lignes 57 à 63. Pour quelle raison le médecin incite-t-il la religieuse à lui raconter son passé ?

8 Qu'annonce cette expression du narrateur : « la mort avait marqué sa victime » (l. 77) ?

☐ un récit tragique
☐ un récit fantastique

9 Relève une citation qui montre que le récit va changer de narrateur*.

La langue et le style

10 L'emploi du plus-que-parfait

a. Dans les lignes 1 à 20, relève les verbes conjugués au plus-que-parfait. Place-les ensuite sur l'axe temporel.

---------------------------------X---------------------------------->

la rencontre avec la religieuse
(racontée au passé simple)

b. Déduis-en la valeur de ce temps dans un récit au passé.

Faire le bilan

11 Le rôle du récit-cadre*

Complète le texte avec les mots suivants :

lecteur | narrateur* | personnage | récit-cadre* | récit enchâssé* | secret | empathie

Le récit du . . . . permet de mettre en lumière le mystérieux . . . . de la religieuse. Comme le jeune médecin, le . . . . désire en savoir plus sur son terrible . . . . et se sent en . . . . avec elle. Ainsi, le . . . . donne envie de découvrir le . . . . qui va suivre.

Étape 2 • Observer le basculement du destin

SUPPORT • Chapitre 1, lignes 206 à 296.

OBJECTIFS • Comprendre ce qui oppose madame de B. et madame de... ; analyser la situation très particulière d'Ourika.

L'opposition des deux femmes

1 Quelle est la qualité principale de madame de B. ?
☐ la franchise ☐ l'indulgence ☐ le courage

2 Lignes 209-223 : relève les mots qui expriment la dureté de madame de...

3 Relie chaque personnage à la phrase qu'il a prononcée :

Madame de B. •
Madame de... •

- « Je l'aime comme si elle était ma fille. »
- « Vous la perdez. »
- « Elle ne peut vouloir que de ceux qui ne voudront pas d'elle. »
- « Heureusement elle ne s'en doute point encore. »
- « Elle est bien innocente. »
- « La société se vengera. »

4 Madame de... estime qu'Ourika a « brisé l'ordre de la nature » (l. 266-267) en grandissant dans l'aristocratie : en quoi ce jugement est-il choquant pour un lecteur du XXIe siècle ?

La réaction d'Ourika

5 À quoi l'éducation d'Ourika l'a-t-elle préparée ? *(deux réponses)*
☐ à se marier et à avoir des enfants ☐ à se sentir exclue
☐ à vivre dans le milieu de la noblesse ☐ à être indépendante

6 Que découvre-t-elle en écoutant cette conversation ?

7 « Un déluge de larmes soulagea un instant mon pauvre cœur » (l. 276-277). Quelle figure de style est employée dans cette phrase ?
☐ une comparaison* ☐ une hyperbole* ☐ un euphémisme*

La langue et le style

8 Questions directes* et indirectes*

a. Dans les lignes 224-256, relève toutes les questions directes que pose madame de...

b. Transforme-les en questions indirectes.

Exemple : « *Mais que deviendra-t-elle ?* » (question directe)

▶ *Madame de... demanda ce qu'elle deviendrait.* (question indirecte)

À ton avis

9 Un choix difficile

D'après toi, madame de B. a-t-elle eu raison de protéger Ourika de la cruauté du monde ?

Faire le bilan

10 Le renversement

Complète le texte avec les mots suivants :

madame de... | madame de B.

réalité | illusion | juste | injuste

Dans ce passage, Ourika comprend que . . . . l'a laissée dans l'. . . . . d'un monde . . . . et bon.
En entendant . . . . parler de la cruelle . . . . , elle se rend compte que sa peau noire n'est pas une simple caractéristique physique : la société en a fait une raison . . . . de l'exclure.

Enquêter maintenant

11 Les neuf de Little Rock

Pour mesurer combien il est difficile de s'imposer dans un monde qui ne veut pas de vous, fais une recherche sur les « neuf de Little Rock ».

a. Quel était leur projet ?

b. Pourquoi et comment a-t-on voulu les empêcher de le réaliser ?

Étape 3 • Comprendre l'épisode de la Révolution

SUPPORT • Chapitre 2, lignes 386 à 459.

OBJECTIFS • Percevoir la dimension historique du récit ; observer comment Ourika intériorise le préjugé racial.

La noblesse sous la Révolution

1 **a.** Quelles sont les préoccupations de l'entourage d'Ourika au début de la Révolution ? (lignes 386 à 396)
b. Et pendant le « grand désordre » ? (lignes 416 à 424)

2 Vrai ou faux ? Coche la bonne réponse.

	VRAI	FAUX
Les nobles sont prêts à abandonner leurs privilèges.	☐	☐
Ils affirment qu'ils sont philanthropes.	☐	☐
Ils sont terrifiés par la violence des événements.	☐	☐

Le point de vue d'Ourika

3 Dans les lignes 411 à 416, Ourika observe les nobles de son entourage.
Que souligne-t-elle ?
☐ leurs ridicules ☐ leur méchanceté ☐ leur injustice

4 Ligne 416, quel mot décrit l'attitude de ces nobles envers Ourika ?

5 **a.** Quel est le point de vue d'Ourika sur les Noirs avant la révolte de Saint-Domingue ?
b. Et après la révolte ?

6 À quoi Ourika attribue-t-elle la violence des esclaves révoltés ?
☐ à la couleur de leur peau
☐ à l'injustice de l'esclavage

7 Malgré son regard critique, Ourika partage le point de vue de la noblesse sur la Révolution. Relève les expressions qui le prouvent dans les lignes 452-459.

La langue et le style

8 Le subjonctif imparfait

« Il était impossible que cette question ne me touchât pas vivement » (l. 443-444).

Sur ce modèle, complète les phrases suivantes en conjuguant le verbe entre parenthèses au subjonctif imparfait :

- Il était impossible que la noblesse (accepter) . . . . d'abandonner ses privilèges.
- Ourika souhaitait que sa situation (changer) . . . .
- Elle espérait que la Révolution se (faire) . . . . en douceur.
- Elle ne comprenait pas que les esclaves révoltés (être) . . . . violents.
- Elle avait peur que la monarchie (être renversé) . . . .

Faire le bilan

9 L'intériorisation des préjugés

En t'appuyant sur ta lecture, explique pourquoi Ourika en vient progressivement à détester la couleur de sa peau.

À ton avis

10 L'héritage familial

a. Pourquoi est-il difficile d'avoir une autre vision du monde que celle de ses parents et de son entourage proche ?

b. Qu'est-ce qui peut nous aider à construire nos propres idées ?

Enquêter maintenant

11 Deux révolutionnaires

Fais une recherche sur l'une de ces deux grandes figures de la Révolution :

– Toussaint Louverture, qui a défendu les droits des Noirs ;
– Olympe de Gouges, qui a défendu ceux des femmes.

Étape 4 • Analyser le désespoir d'Ourika

SUPPORT • Chapitre 3, lignes 709 à 768.

OBJECTIFS • Observer et questionner l'expression de la passion romantique.

Le bonheur de Charles

1 **a.** Qu'est-ce qui rend Charles si heureux de vivre ?
b. Quel type de phrase* emploie-t-il pour exprimer son bonheur ?

2 Relis les lignes 722 à 732.
a. Relie chaque GN au personnage qu'il désigne :

« le père, la mère » •	
« cet ange » •	• Anaïs
« son ami, son amant » •	
« le protecteur » •	• Charles
« la mère de mes enfants » •	

b. D'après ce passage, comment Charles considère-t-il Anaïs ? Quel rôle a-t-il l'ambition de jouer auprès d'elle ?

Le désespoir d'Ourika

3 Ligne 718 : « je n'ai commencé à vivre que depuis deux mois ». Pourquoi cette phrase de Charles fait-elle tant de peine à Ourika ?

4 Lignes 742-743 : « condamnée à la vie ».
a. En quoi cette expression est-elle surprenante ?
b. Pourquoi Ourika considère-t-elle la vie comme une condamnation ?

5 D'après les lignes 741 à 746, quelle est la seule raison de vivre qui lui paraisse valable ?

6 Pourquoi Ourika ne confie-t-elle pas son chagrin à Charles ?

7 **a.** Dans quelles lignes du texte le narrateur du récit-cadre* reprend-il la parole ?
b. Qu'est-ce qui montre que le chagrin d'Ourika est toujours vivant, même après quelques années ?

La langue et le style

8 Les questions rhétoriques*

Dans les lignes 734-746, relève les questions dites rhétoriques, qui sont en fait des affirmations déguisées.

Exemple : *Pourquoi avez-vous donné la vie à la pauvre Ourika ?*

▶ Sens : La pauvre Ourika n'a aucune raison de vivre.

Faire le bilan

9 Une femme au XVIIIe siècle

Rédige un paragraphe pour prouver l'affirmation suivante : Ourika pense qu'elle n'a aucune raison de vivre, car elle ne pourra être ni épouse, ni mère. Pense à citer le texte pour justifier ton analyse du personnage.

À ton avis

10 La passion romantique

Penses-tu, comme les auteurs romantiques et comme Ourika, que la vie ne vaut pas la peine d'être vécue si l'on ne connaît pas la passion amoureuse ?

11 Les rapports homme-femme

Penses-tu, comme Charles, que le bonheur des femmes dépend des hommes ?

Écrire maintenant

12 Une lamentation tragique

Rédige un court texte où tu te plaindras d'une situation dans laquelle tu te sens piégé.

Cela peut être une situation tout à fait quotidienne et banale, comme être obligé de faire tes devoirs ou devoir obéir aux adultes.

Pour renforcer le caractère « tragique » de cette situation, pense à utiliser des exclamations, des questions rhétoriques* et des images fortes.

Étape 5 • Étudier la dimension tragique du récit

SUPPORT • Chapitre 4, lignes 897 à 997.

OBJECTIFS • Comprendre le rôle de madame de... ; faire le bilan de la lecture intégrale.

L'incarnation de la fatalité

1 Au début de l'histoire, quel rôle décisif a déjà joué madame de... ?
☐ C'est elle qui a enfermé Ourika au couvent.
☐ C'est elle qui a révélé à Ourika que sa couleur de peau l'excluait de la société.

2 Dans ce passage, qu'apprend-elle à Ourika ?

3 Lignes 972-975, quelle métaphore Ourika utilise-t-elle pour parler de cette révélation ?

4 Quelles sont les différentes raisons qui interdisent à Ourika d'aimer Charles ?

Le dénouement tragique

5 Reporte-toi à la page 50 (l. 609-616) : qu'est-ce qui montre qu'Ourika a honte de sa peau noire, à la suite de la première révélation de madame de... ?

6 D'après les lignes 976-997, quel nouveau sentiment éprouve-t-elle après ce dialogue avec madame de... ?

7 Comment la ponctuation traduit-elle le choc de cette révélation ?

8 **a.** Qu'est-ce qui explique qu'elle choisisse de quitter sa famille adoptive pour le couvent quelque temps après ?

b. A-t-elle un autre endroit où aller ? Pourquoi ?

9 Pourquoi peut-on dire que ce dénouement est tragique ?
☐ Ourika n'a plus rien d'autre à attendre que la mort.
☐ Ourika aurait pu éviter d'en arriver là.

À ton avis

10 Coupable ou innocente ?

Madame de... accuse Ourika de se rendre malheureuse. Penses-tu qu'elle soit coupable de se laisser aller au désespoir ?

La langue et le style

11 Le présent de vérité générale*

Lignes 911 à 931 : relève toutes les phrases, écrites au présent, qui formulent une pensée que le locuteur estime valable en tout temps et en tout lieu.

Exemple : « L'esprit [...] ne sert guère qu'à augmenter les maux véritables. » (l. 911-912)

Faire le bilan

12 Un destin tragique

a. Numérote dans l'ordre les différentes étapes du récit d'Ourika.

...... : Elle a honte d'être elle-même et n'ose pas se confier.

...... : Elle accomplit son tragique destin d'exclue.

...... : Elle est sauvée de son malheureux destin d'esclave.

...... : Elle aime un homme qu'elle n'a pas le droit d'aimer.

...... : Elle apprend que sa couleur de peau lui interdit le mariage.

...... : Elle se sent coupable et quitte sa famille pour le couvent.

...... : Elle vit heureuse dans une société qui semble l'accepter.

b. En t'appuyant sur tes réponses ainsi que sur le repère p. 78-79, explique en quoi le destin d'Ourika est tragique.

Écrire maintenant

13 Théâtralisation

Adapte ce passage pour le théâtre. Fais attention à la présentation des répliques et n'oublie pas les didascalies. Tu peux également dessiner les décors et les costumes que tu imagines pour cette scène.

Femmes puissantes : groupement de documents

OBJECTIF • Confronter le destin tragique d'Ourika à celui de femmes noires qui ont pu dénoncer et dépasser les préjugés.

DOCUMENT 1 *Tanella Boni, philosophe et écrivaine ivoirienne*

Tanella Boni (née en 1954) enseigne la philosophie à l'université Félix Houphouët-Boigny de Cocody, à Abidjan (Côte d'Ivoire). Auteure d'une vingtaine de livres, membre de l'Académie mondiale de poésie, c'est une femme de lettres engagée notamment en faveur des droits humains, de la liberté d'expression et de la tolérance.

Me voici à la porte du jour le plus long
Là où il fait si clair en moi
Ma raison refuse l'évidente clarté séculaire[1]
Qui sépare l'humanité en portions inégales
5 L'humanité si divisée si malmenée
Et transparente
Comme celle dont j'ai hérité
Par la faute de ma peau invisible
À force d'être visible

10 Cette peau qui m'a tout donné
Cette peau dont je suis si fière
Ma peau de femme qui n'en fait
Qu'à sa tête
Une tête qui n'est qu'une infime partie de moi

TANELLA BONI, « Mémoire de femme », in *Là où il fait si clair en moi*, © Éditions Bruno Doucey, collection « L'autre Langue », 2017.

1. **Séculaire** : qui existe depuis plusieurs siècles.

DOCUMENT 2 *Aya Cissoko, championne de boxe et écrivaine française*

Aya Cissoko (née en 1978) a été trois fois championne du monde de boxe amateur, d'abord en boxe française (1999 et 2003) puis en boxe anglaise (2006). Elle a écrit Danbé[1] avec Marie Desplechin (née en 1959). En hommage à tous les siens, elle y raconte sa jeunesse marquée par la fatalité et sa volonté farouche de garder la tête haute.

Boxer me prouve, à longueur d'entraînement, que j'existe. Chaque coup reçu, chaque impact, la douleur même, me rappellent que je suis vivante. J'ai mal, et je résiste. C'est un peu comme s'écorcher les genoux sur le banc de la cour de récréation[2]. Sauf que là c'est permis. Mais jamais, durant toutes ces années d'entraînements et de combats, je ne conçois la boxe comme un moyen de « m'en sortir », comme une bonne manière, pour une enfant de pauvres, de m'élever socialement. Boxer n'est pas un accès au monde des autres, c'est une aventure intime. Une histoire de moi à moi.

→ *Retrouve ce visuel en couleurs dans le cahier photos central.*

Je commence la compétition très tôt. Je suis encore chez les poussins. À douze ans, je gagne mon premier championnat de France, dans la catégorie benjamins. Je devrais être grisée. Je suis saisie de panique. Qu'est-ce que je suis censée faire ? Sauter sur place, lever les bras, rire, pleurer, crier ? Comment font les autres ? Je ne sais pas. Rien ne vient. Si j'éprouve quelque chose, c'est plutôt de la déception. Tous ces efforts pour en arriver là ? Je ne sais pas ce que j'espérais au juste, mais certainement pas ça. Je ne m'habituerai jamais à la déconvenue de la victoire, la même au long des années. Je n'arriverai pas à me réjouir. Je suis toujours allée au combat sans haine ni rage. Je n'ai jamais eu spécialement envie de dominer mon adversaire, et certainement aucune de le détruire ou de l'humilier. J'ai eu des scrupules à voir l'autre saigner, souffrir. Je n'aime pas faire mal.
Ce n'est pas de la grandeur d'âme. Ces victoires-là me sont indifférentes. Celle à laquelle j'aspire, c'est la victoire que j'emporte sur moi, et qui me consacre plus forte que je suis capable de l'être. Elle récompense les sacrifices, les efforts, les douleurs. Dans ce cas, alors oui, il y a de la volupté. Elle est parfaitement égoïste.

AYA CISSOKO et MARIE DESPLECHIN, *Danbé*, Paris, © Éditions Calmann-Lévy, 2011.

---

1. **Danbé** : selon Aya Cissoko, « la traduction la plus approchante du malinké *danbé* serait le français "dignité" ».
2. Après un drame familial, Aya avait pris l'habitude de s'écorcher volontairement les genoux. Sa mère le lui a interdit, au nom du danbé.

DOCUMENT 3 *Chimamanda Ngozi Adichie, écrivaine nigériane*

Chimamanda Ngozi Adichie (née en 1977) vit entre les États-Unis, où elle a étudié, et Lagos, la capitale du Nigeria, son pays de naissance. Son Manifeste pour une éducation féministe *s'adresse à son amie Ijeawele, qui lui a demandé conseil pour élever sa petite fille selon des valeurs féministes. Le livre est un succès mondial, au point que la chanteuse Beyoncé en reprend un extrait dans* Flawless.

Chizalum[1] remarquera très tôt (car les enfants sentent les choses) quel genre de beauté la société dominante valorise le plus. Elle le verra dans les

magazines, les films et à la télévision. Elle verra qu'être blanc est valorisé. Elle remarquera qu'on préfère les cheveux à la texture lisse ou souple, ceux
5 qui retombent plutôt que ceux qui se dressent sur la tête. Elle sera confrontée à cela, que ça te plaise ou non. Assure-toi d'avoir d'autres modèles à lui proposer. Montre-lui que les femmes blanches et minces sont belles, et que les femmes qui ne sont ni blanches ni minces sont belles. Montre-lui que beaucoup de gens et beaucoup de cultures ne jugent pas attirante cette
10 définition étroite de la beauté qui constitue la vision dominante. C'est toi qui connaîtras le mieux ton enfant, et donc c'est toi qui sauras le mieux comment affirmer le type de beauté qui lui est propre, comment la protéger pour qu'elle ne ressente pas d'insatisfaction face à son propre reflet. Entoure-la d'un village de tantines[2], des femmes avec des qualités que tu
15 voudrais qu'elle admire. Évoque toute l'admiration que tu as pour elles. Les enfants imitent et apprennent par l'exemple. Parle de ce que tu trouves admirable chez ces femmes. Moi, par exemple, j'admire tout particulièrement la féministe afro-américaine Florynce Kennedy[3]. Parmi les femmes africaines dont je lui parlerais figurent Ama Ata Aidoo, Dora Akunyili,
20 Muthoni Likimani, Ngozi Okonjo-Iweala, Taiwo Ajai-Lycett[4]. Il y a tant de femmes africaines qui sont des sources d'inspiration féministe. Pour ce qu'elles ont fait, et pour ce qu'elles ont refusé de faire. Comme ta grand-mère, d'ailleurs, cette nana remarquable, forte et à la langue bien pendue.

Chimamanda Ngozi Adichie, *Chère Ijeawele, ou un manifeste pour une éducation féministe*, traduit par Marguerite Capelle,

1. **Chizalum** : prénom de la fille d'Ijeawele.
2. **Tantines** : mot affectueux utilisé en Afrique pour désigner les femmes plus âgées et expérimentées.
3. **Florynce Kennedy (1916-2000)** : avocate américaine qui défendit les droits des Noirs et des femmes.
4. • **Ama Ata Aidoo (née en 1942)** : écrivaine ghanéenne dont l'œuvre est centrée sur les femmes et leur rôle dans la société.
• **Dora Akunyili (1954-2014)** : doctoresse nigériane, reconnue internationalement pour son travail contre les médicaments de contrefaçon.
• **Muthoni Likimani (née en 1926)** : écrivaine et militante féministe kényane.
• **Ngozi Okonjo-Iweala (née en 1954)** : femme politique nigériane, spécialiste de l'économie et des finances.
• **Taiwo Ajai-Lycett (née en 1941)** : actrice et journaliste nigériane.

DOCUMENT 4 *Wangari Maathai, prix Nobel de la paix, militante de l'environnement et femme politique kényane*

Née dans une famille de petits fermiers, Wangari Muta Maathai (1940-2011) étudie la biologie aux États-Unis grâce à une bourse. De retour au Kenya, elle est la première femme africaine qui obtient un doctorat, en 1971. En 1977, elle fonde le Green Belt Movement, une organisation non-gouvernementale à l'origine de la plantation de 30 millions d'arbres.
Elle obtient le prix Nobel de la paix en 2004 pour « sa contribution en faveur du développement durable, de la démocratie et de la paix ». C'est la première femme africaine à recevoir ce prix prestigieux.

Ici, elle est photographiée en train de planter un arbre à Kiriti, au Kenya.

→ *Retrouve ce visuel en couleurs dans le cahier photos central.*

DOCUMENT 5 *Mae Jemison, astronaute américaine*

Mae Jemison (née en 1956) grandit aux États-Unis où elle étudie les sciences et la danse. Elle obtient un diplôme d'ingénieure en génie chimique en 1977 et de médecine en 1981. En 1987, elle est sélectionnée pour entrer à la Nasa. En 1992, à bord de l'Endeavour, elle est la première femme afro-américaine à aller dans l'espace. Au cours de sa mission spatiale (STS-47), elle mène diverses expériences, notamment sur l'apesanteur.

Mae Jemison à bord de la navette spatiale *Endeavour* (STS-47) dans le cadre d'une mission menée par la Nasa et la Nasda (Agence nationale de développement spatial du Japon).

→ *Retrouve ce visuel en couleurs dans le cahier photos central.*

DOCUMENT 6 *Katherine Johnson, mathématicienne et ingénieure spatiale américaine*

Katherine Coleman Goble Johnson (née en 1918) obtient son diplôme de mathématiques et de français en 1937, à seulement 18 ans.
Recrutée par la NASA en 1953, elle calcule notamment la trajectoire du premier Américain envoyé dans l'espace, Alan Shepard.
L'écrivaine américaine Margot Lee Shetterly (née en 1969) lui rend hommage dans son livre Les Figures de l'ombre, *adapté au cinéma en 2016 par Theodore Melfi, avec Taraji Penda Henson dans le rôle de Katherine Johnson.*

Image du film *Les Figures de l'ombre* (2016), de Theodore Melfi, avec Taraji Penda Henson dans le rôle de Katherine Johnson.

→ *Retrouve ce visuel en couleurs dans le cahier photos central.*

Lire les documents

1 Après avoir lu attentivement les documents, complète cette grille de mots croisés.

❶ Sport pratiqué par Aya Cissoko.
❷ Siècle de naissance de toutes les femmes du groupement.
❸ Tanella Boni en est fière.
❹ Elle s'est approchée des étoiles.
❺ Prix décerné à Wangari Maathai.
❻ Katherine Johnson y excella.
❼ Prénom de la fille d'Ijeawele.

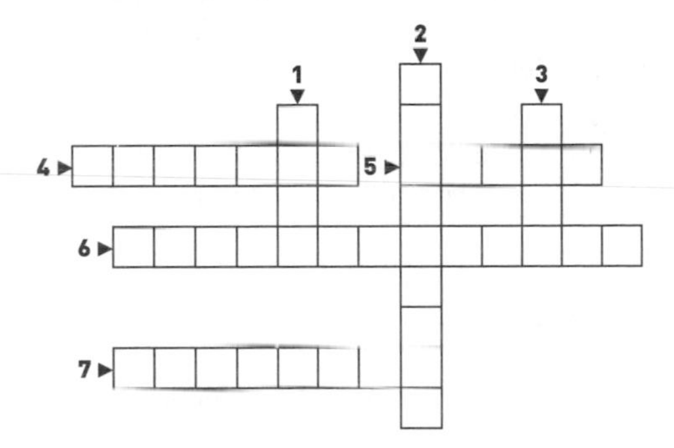

2 Relie chaque texte à son genre littéraire.

document 1 •	• texte d'idées
document 2 •	• poème en vers libres
document 3 •	• récit autobiographique

3 Parmi les quatre photographies du cahier central, laquelle montre une comédienne jouant le rôle d'une femme ayant réellement existé ?

Comparer les documents

4 Les préjugés dénoncés

a. Document 1

Vers 8-9 : « ... ma peau invisible / À force d'être visible »
Comment expliques-tu ce paradoxe constaté par Tanella Boni ?

b. Document 2

Dans le deuxième paragraphe du texte, quel est le préjugé que souligne l'auteure ?

c. Document 3

D'après le premier paragraphe du texte, pourquoi est-il particulièrement difficile, pour une petite fille noire, de construire sa confiance en elle ?

d. Cahier photos

Parmi les quatre métiers représentés, quels sont les trois métiers que l'on considère traditionnellement comme masculins ?

- ☐ boxeuse
- ☐ astronaute
- ☐ mathématicienne
- ☐ militante écologiste

5 Les clés de l'émancipation

a. Document 2

D'après les lignes 1 à 10 et les lignes 37 à 40, quel est le véritable adversaire de la boxeuse Aya Cissoko ?

b. Document 3

D'après les lignes 6 à 13, quel doit être le but de l'éducation de la petite Chizalum ?

6 Modèles de réussite

a. Cahier photos

Comment la réussite de chacune des femmes est-elle mise en scène dans les photographies du cahier central ?
Observe notamment la posture des sujets et le décor choisi.

b. Document 3

Quel est le rôle des « tantines » (l. 14) ? Ce rôle ne peut-il être tenu que par des femmes célèbres ?

À ton avis

7 Qu'est-ce qui différencie Ourika de toutes les femmes présentées dans ce groupement de documents ?
Pour faire cette comparaison, pense notamment à ce qui caractérise l'époque, le caractère et l'entourage d'Ourika.

Faire le bilan

8 Des femmes puissantes
Rédige un court paragraphe pour faire la synthèse de ta lecture des documents.
Tu emploieras les mots et expressions suivants :
vingtième siècle · femmes noires · arts · sciences · préjugés · s'émanciper · éducation · force intérieure

Enquêter maintenant

9 Faire une présentation orale
Choisis une des femmes citées dans le groupement de documents et fais une recherche approfondie à son sujet.
Pour que ta présentation soit vivante, utilise la forme du diaporama en illustrant ton propos par des images lorsque c'est possible.

Écrire maintenant

10 « Parle de ce que tu trouves admirable »
Rédige une lettre adressée à une personne, femme ou homme, qui est pour toi une source d'inspiration pour ce qu'elle a fait ou ce qu'elle a refusé de faire (voir document 3, l. 21-22).
Tu développeras les raisons de ton admiration pour ta ou ton destinataire, ainsi que l'enseignement que tu en tires pour toi-même.

Poèmes, romans, nouvelles, comédies, tragédies, textes d'idées... Le passé nous a légué d'innombrables ouvrages — qui sont dans leur immense majorité signés par des hommes. Claire de Duras est une des rares auteures que nous connaissons, et sa relative célébrité est récente. Comment se fait-il qu'il y ait si peu d'écrivaines dans l'histoire littéraire ?

Pourquoi connaît-on si peu d'écrivaines ?

L'ENQUÊTE EN 4 ÉTAPES

1 Quelle est la place des femmes dans l'histoire littéraire ?

Au fil des siècles, les femmes ont été des lectrices passionnées ; certaines ont inspiré ou accompagné des écrivains célèbres. Pourtant, très peu d'entre elles ont publié des livres.

• 10 % D'ÉCRIVAINES

Historiquement parlant, le pourcentage d'écrivaines est dans l'ensemble assez stable (estimé à environ 10 %[1]), et pour le moins modeste. De plus, très peu d'entre elles sont reconnues comme de « grands auteurs » : avant le XXe siècle, seules Madame de Sévigné, Madame de Lafayette, George Sand et quelques autres sont citées dans les histoires littéraires françaises.

Il faut attendre la deuxième moitié du XXe siècle pour que cela commence à changer : les femmes ont alors obtenu le droit de vote, elles existent dans l'espace public et revendiquent plus d'égalité ; dans cette mouvance, les auteures ne sont plus considérées comme des exceptions.

La disparition des autrices

Le mot *autrice*, qui existait au Moyen Âge, a été supprimé par l'Académie française au XVIIe siècle, en même temps que les mots « peintresse », ou « professeuse ». Cela montre que ces activités créatrices et intellectuelles étaient considérées comme masculines, et qu'on n'envisageait pas qu'une femme puisse vivre de sa plume. Cela ne veut pas dire que les femmes n'écrivaient pas (au contraire, les femmes éduquées écrivaient beaucoup) ; mais elles ne faisaient ni imprimer ni vendre leurs écrits.

1. Source : Catherine Nesci, « Martine Reid, *Des femmes en littérature* », revue *Clio*, 2012.

Gabriel-Louis Lestudier-Lacour (1800-1849), *Madame de Sévigné*, 1830. Gravure sur cuivre d'après un dessin d'Hippolyte Flandrin (1809-1864). Berlin, collection AKG.

2 Qu'est-ce qui a empêché les femmes de publier ?

Pour quelles raisons les femmes écrivains sont-elles si peu nombreuses dans l'histoire littéraire ? Le talent serait-il lié au genre masculin ?

Qu'est-ce que le genre ?

La féminité et la masculinité sont un ensemble de qualités qu'une société attribue à un sexe biologique, et qu'elle transmet notamment par l'éducation. Ainsi, on associe encore souvent au genre féminin la douceur, la préoccupation du foyer, le besoin d'être protégée ; et au genre masculin, la force, les affaires publiques, le pouvoir d'agir. C'est pourquoi Simone de Beauvoir écrit dans *Le Deuxième Sexe* : « On ne naît pas femme, on le devient. »

Simone de Beauvoir (1908-1986), photographiée par Robert Doisneau aux Deux-Magots (Saint-Germain-des-Prés, Paris) en 1944.

● L'ABSENCE DE TEMPS À SOI

Traditionnellement, les jeunes filles sont éduquées pour se marier, puis s'occuper de leurs enfants en étant toujours disponibles pour répondre aux besoins des autres. Or, l'écrivaine Virginia Woolf explique que pour écrire il faut avoir « une chambre à soi » : c'est-à-dire, un lieu où l'on n'est pas dérangé, où l'on peut se consacrer à son projet aussi longtemps que nécessaire. Elle imagine même une petite sœur au grand Shakespeare, qui aurait eu le même génie que lui, mais que les contraintes d'une vie de femme auraient empêchée de s'exprimer.

Virginia Woolf (1882-1941) dans les années 1930 à Monk's House, son cottage, à Rodmell, en Angleterre.

● LA CENSURE SOCIALE

Avant le XXe siècle, il est très difficile pour les femmes de s'imposer comme auteures. Elles écrivent souvent des journaux intimes, des lettres ou leurs mémoires, et peuvent les faire imprimer pour leurs proches ; mais la société accepte mal qu'elles publient leurs œuvres au-delà du cercle domestique.

Celles qui osent sont ridiculisées ou rabaissées : « Les femmes qui écrivent ne sont plus des femmes. Ce sont des hommes – du moins de prétention – et manqués ! » Ce jugement de l'écrivain Barbey d'Aurevilly, à la fin du XIXe siècle, résume la pensée dominante.

Les Précieuses, dessin de Nina Luec.
Au XVIIe siècle, un mouvement de femmes se passionne pour la culture : on les appelle les précieuses, en raison de leurs goûts raffinés. Molière les a caricaturées avec verve dans sa pièce *Les Précieuses ridicules*, qui eut un succès considérable.

• L'AUTOCENSURE

Rien d'étonnant, dès lors, à ce que les femmes choisissent d'écrire pour les invités de leur salon, sans prendre le risque d'être lues par des inconnus condescendants, ou préfèrent ne pas écrire du tout. De plus, les femmes de la noblesse considèrent que leur rang social leur interdit de gagner de l'argent, et qu'il est contraire à la modestie d'exposer son talent en public.

C'est pourquoi Claire de Duras n'autorise la publication de ses œuvres sous son nom qu'après sa mort. Sa fille, soucieuse de respectabilité, n'a d'ailleurs pas réalisé ce vœu et il a fallu attendre plus de vingt ans pour qu'*Ourika* soit réédité.

On voit donc que les femmes intériorisent le préjugé social, en s'interdisant d'écrire et, surtout, de diffuser leurs œuvres.

Qu'est-ce qu'un bas-bleu ?

L'expression est traduite de l'anglais « blue stocking ». Elle désignait au départ les habitués du salon littéraire londonien d'Elizabeth Montagu, au XVIIIe siècle.

En France comme en Angleterre, le terme *bas-bleu* a ensuite servi à désigner de manière péjorative les femmes qui affichaient des ambitions intellectuelles ou littéraires. Il a été beaucoup employé au XIXe siècle pour disqualifier les écrivaines, et on le retrouve encore parfois aujourd'hui.

Honoré Daumier (1808-1879), *Les Bas-bleus*, n° 24 : « Depuis que Virginie a obtenu le septième accessit de poésie à l'Académie française... », caricature publiée dans le journal satirique *Le Charivari* du 18 avril 1844.

3 Comment les auteures du passé ont-elles réussi à publier ?

Autrefois, la situation n'était pas simple pour les femmes qui ambitionnaient d'écrire. Certaines ont pourtant trouvé le moyen de contourner les obstacles.

Madame de Lafayette (1634-1693), gravure d'après un portrait de Friedrich Bouterwek (XIXe siècle). Collection privée.

● LE COUVERT DE L'ANONYMAT

Avant le XXe siècle, les femmes qui se risquent à publier préfèrent souvent le faire sans nom d'auteur, surtout si elles sont nobles. C'est le cas de Claire de Duras, mais aussi de Madame de Lafayette au XVIIe siècle, quand elle fait éditer *La Princesse de Montpensier*, ou de Mary Shelley au XIXe siècle, qui a ensuite toutes les peines du monde à faire reconnaître qu'elle est l'auteure de *Frankenstein*.

De la célébrité à l'anonymat

Catherine Bernard fut l'une des très rares femmes vivant ouvertement de sa plume au XVIIe siècle : ses œuvres étaient jouées à la Comédie-Française, avec succès, et elle reçut trois fois le prix de poésie décerné par l'Académie française.

Or, plus personne ne connaît Catherine Bernard aujourd'hui. En effet, son nom a été purement et simplement escamoté par l'histoire littéraire : jusque récemment, ses écrits étaient attribués à un homme, l'écrivain Bernard de Fontenelle.

● LES PSEUDONYMES MASCULINS

L'histoire de George Sand est connue : consciente des limites que la société impose à son sexe, l'auteure – issue de la noblesse – adopte un nom masculin qui lui assure de pouvoir vendre ses livres, et lui permettra d'être la première femme du XIXe siècle à vivre de sa plume. Cette astuce a également été adoptée par les sœurs Brontë, en Angleterre, ou encore par Colette, qui publia ses premiers récits sous le prénom de son mari Willy. Ce procédé est toujours utilisé aujourd'hui : lorsque Joanne Rowling publie le premier tome d'*Harry Potter*, en 1997, ses éditeurs insistent pour qu'elle remplace son prénom féminin par les initiales J.K., plus neutres.

Josef Danhauser (1805-1845), *Liszt au piano*, 1840. Huile sur bois, 122 × 162 cm. Berlin, Nationalgalerie. Dans ce tableau, rien ne différencie George Sand des grands artistes de son temps : habillée en homme, entourée d'écrivains et de musiciens célèbres, elle se distingue ici par sa cravate blanche.

● L'AUDACE

En 1789, toutes les valeurs vacillent. Plusieurs femmes en profitent pour réclamer le droit de s'exprimer. Olympe de Gouges écrit même une *Déclaration des droits de la femme et de la citoyenne*, où elle souligne que si « la femme a le droit de monter sur l'échafaud, elle doit avoir également celui de monter à la tribune » pour s'exprimer publiquement. Comme elle, quelques femmes ont assumé un discours « féministe » avant la lettre, décidées à prendre une place dans l'espace public et à publier sous leur propre nom. On peut citer Christine de Pizan au Moyen Âge, Madame de Villedieu au XVIIe siècle ou Félicité de Genlis au XIXe siècle.

Illustration de Catel pour la bande dessinée *Olympe de Gouges* (2013).

Germaine de Staël (1766-1817)

« Je n'avais rien vu de pareil au monde », écrit Benjamin Constant, « j'en devins passionnément amoureux ». Germaine de Staël est en effet une femme d'exception. Car elle a tout osé : vivre librement, s'opposer à Napoléon, publier des romans et des ouvrages philosophiques... et même viser la gloire littéraire, sans avoir honte de son ambition. Dans *Delphine* (1802), elle questionne la liberté des femmes : le roman fait scandale, et l'auteure devient la première écrivaine célèbre dans toute l'Europe.

4 Quelle est la situation des écrivaines aujourd'hui ?

Les femmes n'ont vraiment réussi à s'imposer en littérature qu'à partir des années 1950. En ce début de deuxième millénaire, sont-elles aussi considérées que les hommes ?

Quelques chiffres

- Proportion d'auteures dans les années 1990 : 30 % du total des écrivains déclarés[1].
- Proportion d'auteures en 2018 : 50 % du total des écrivains déclarés.

Indicateurs de reconnaissance :

- Nombre de prix littéraires obtenus par des femmes entre 1900 et 2017 : 195, sur 772 lauréats
- Proportion d'auteures sur l'ensemble des spectacles joués entre 2017 et 2018 : 24 %
- Proportion de textes de femmes présentés aux épreuves du bac entre 2012 et 2017 : 5,5 %
- Nombre d'auteures au programme du bac L depuis 1995 : 1

Indicateurs de revenus[2] :

- Revenu médian des auteures en 2011 : 14 584 €
- Revenu médian des auteurs en 2011 : 18 433 €
- Revenu maximal pour une auteure en 2011 : 811 431 €
- Revenu maximal pour un auteur en 2011 : 2 214 476 €
- Écart médian de revenu en 2014 : 26 %

Sources : rapports de l'Observatoire de l'égalité entre femmes et hommes dans la culture et la communication (www.culture.gouv.fr/Thematiques/Etudes-et-statistiques) et rapport du Comité des Artistes-Auteurs plasticiens (CAAP), mis en ligne le 15.03.2015 (www. caap.asso.fr)

1. **Écrivains déclarés :** écrivains qui publient leurs écrits et perçoivent donc des droits d'auteurs.

2. On parle ici seulement des revenus des écrivains affiliés à la sécurité sociale des artistes-auteurs, c'est-à-dire, ayant des revenus artistiques supérieurs à environ 8 000 €/an.

• DES PROGRÈS

Considérées jusque-là comme des exceptions, les écrivaines sont devenues plus nombreuses au cours du XIXe siècle. D'abord cantonnées aux genres mineurs (romans dits « sentimentaux », littérature pour enfants, feuilletons pour les journaux), elles ont conquis une vraie place dans la littérature au cours du XXe siècle.

Aujourd'hui, il n'est plus scandaleux qu'une femme écrive pour gagner sa vie. Beaucoup d'entre elles le font, et avec grand succès : en France, on peut citer Delphine de Vigan, Marie NDiaye, Yasmina Reza, Virginie Despentes et bien d'autres.

Dans la période 2010-2017, on constate même que davantage d'auteures obtiennent des prix littéraires : 41 % des récompenses leur sont attribuées.

Mais cela ne veut pas dire encore que le talent littéraire des femmes est aussi valorisé que celui des hommes : comme l'affirme la couverture très critiquée de *Livres Hebdo*[3] à la rentrée 2018, l'écrivain-type reste un homme blanc d'une cinquantaine d'années.

• UN LOURD HÉRITAGE

La littérature est restée essentiellement masculine pendant des siècles, et les écrivaines doivent composer avec cet héritage pour affirmer leur voix, sans qu'on les ramène en permanence à leur condition de femmes. L'écrivaine Toni Morrison, une des rares lauréates du prix Nobel de littérature, explique ainsi que l'écriture doit affronter continuellement ces questions sociales : « Le défi n'est pas mince, pour un écrivain africain-américain, a fortiori pour une femme, dans une société entièrement racialisée et sexualisée comme l'est la société américaine. Il faut apprendre à manœuvrer le langage pour y trouver sa propre langue, solide, argumentée[4]. »

Toni Morrison.

3. *Livres Hebdo* est un magazine destiné aux professionnels du livre.

4. Entretien accordé au magazine *L'Express*, le 25 novembre 1993.

Le panthéon des femmes

Le Panthéon est le monument parisien qui honore « les grands hommes » de la nation.
Seules cinq femmes y sont enterrées : Marie Curie, Germaine Tillion, Geneviève de Gaulle-Anthonioz, Simone Veil, pour leur mérite propre ; et, en qualité d'épouse de Marcellin Berthelot, Sophie Berthelot. Au total, il n'y a donc que 6 % de femmes au Panthéon.

À l'occasion de la Journée des femmes, le 8 mars 2014, l'association Artémisia[5] a demandé à des illustratrices de mettre en images cette disproportion.
Ci-dessous, dans la file d'attente pour entrer au Panthéon, on reconnaît les écrivaines Simone de Beauvoir, Françoise Sagan, Olympe de Gouges, Louise Michel… mais la porte leur est fermée à clé.

Dessin de Claire Bouilhac.

Dessin de Catel.

5. Association pour la promotion de la bande dessinée féminine.

Lexique de l'analyse littéraire

Cadre spatio-temporel	Époque et lieu dans lesquels se déroule l'action d'un récit.
Comparaison	Figure de style qui met en valeur un point commun entre deux éléments, en utilisant un outil de comparaison (*comme, ressembler à...*) pour rapprocher ces éléments.
Dénouement	Fin du récit, moment où le sort des personnages est fixé.
Élément perturbateur (ou déclencheur)	Dans un récit, événement qui lance l'action en modifiant la situation du personnage principal.
Euphémisme	Figure de style qui consiste à atténuer une idée ou un fait, afin d'adoucir une réalité qui paraît choquante, désagréable ou impudique. Ex. : *Il l'aime bien.* (Il est amoureux d'elle.)
Flash-back (ou analepse)	Retour en arrière qui raconte un épisode précédant l'action en cours.
Hyperbole	Figure de style qui consiste à exagérer une idée ou un fait afin d'en souligner l'importance. Ex. : *Il est fou d'elle.* (Il est amoureux d'elle.)
Incipit	Premières pages d'un récit. Traditionnellement, l'incipit sert à présenter le personnage principal et le cadre de l'action.
Métaphore	Figure de style qui confond deux éléments distincts pour faire ressortir leur point commun. À la différence de la comparaison, la métaphore n'utilise pas d'outil de comparaison.
Narrateur	Celui qui raconte l'histoire. Il peut être narrateur-personnage : dans ce cas, il s'exprime à la première personne. Il peut aussi être extérieur à l'action : dans ce cas, le récit se fait à la troisième personne.
Point de vue narratif	Angle choisi par le narrateur pour raconter l'histoire. • *Point de vue omniscient* : le narrateur voit tout et sait tout, il cherche à donner une vision d'ensemble de la situation et des pensées des personnages.

• *Point de vue interne* : le narrateur raconte les événements tels que les vit et les comprend un personnage particulier.
• *Point de vue externe* : le narrateur raconte l'histoire en témoin extérieur, sans donner accès aux pensées des personnages.

Présent de vérité générale — Valeur particulière du présent.
On l'utilise pour exprimer une idée ou un fait que l'on estime valable en tout temps et en tout lieu.
Ex. : *L'amour est la suprême puissance du cœur.* (Germaine de Staël)

Question directe — Question rapportée par le narrateur telle qu'elle est prononcée par un personnage et encadrée par une ponctuation spécifique.
Ex. : – *M'aimez-vous ?* lui demanda-t-elle.

Question indirecte — Question insérée sous la forme d'une proposition subordonnée dans le récit du narrateur.
Ex. : *Elle lui demanda s'il l'aimait.*

Question rhétorique — Question dont la réponse est évidente pour celui qui la pose. On l'utilise pour souligner ce que l'on croit vrai.
Ex. : *Tous les amoureux ne sont-ils pas fous ?*

Récit-cadre — Récit dans lequel sont insérés un ou plusieurs autres récits.

Récit enchâssé — Récit inséré dans un autre récit.
Un changement de narrateur marque souvent le passage du récit-cadre au récit enchâssé.

Type de phrase — Construction spécifique d'une phrase, destinée à manifester l'intention du locuteur.
• *La phrase déclarative* est utilisée pour donner une information ou une opinion.
• *La phrase interrogative* exprime une demande d'information ou d'action.
• *La phrase exclamative* insiste sur l'émotion du locuteur.
• *La phrase injonctive* sert à donner un ordre.

À lire et à voir

● AUTOUR D'OURIKA

Les Caprices d'un fleuve (1996)
Film français de Bernard Giraudeau

Le film s'inspire de la vie du Chevalier de Boufflers, qui amena Ourika en France et la confia à sa tante, Madame de Beauvau-Craon.
Durant la période révolutionnaire, le héros est exilé au Sénégal à la suite d'un duel. Il découvre alors l'Afrique, se confronte à l'esclavage, aux préjugés, et accomplit une révolution intime.

● AUTOUR DES PRÉJUGÉS RACIAUX

Alexandre Dumas
Georges (1843)

Le héros de ce roman d'aventures haletant est Georges Munier, un métis de l'Isle de France (aujourd'hui, île Maurice). En 1810, à la tête d'une armée d'esclaves noirs, son père remporte une grande bataille contre les Anglais. Mais on le dépossède de sa victoire, en raison des préjugés raciaux. Georges fait alors le serment de le venger : il va devoir se battre pour son honneur et, plus tard, pour conquérir celle qu'il aime.

Maupassant
Boitelle (1889)

Boitelle est « l'ordureux » du pays : c'est lui que l'on appelle dès qu'il faut faire une besogne malpropre. Son destin a basculé alors qu'il était tout jeune, en rencontrant une jeune fille noire si belle et tendre qu'il désira faire sa vie avec elle...

Harper Lee

Ne tirez pas sur l'oiseau moqueur (1960)

Dans les années trente, au Sud des États-Unis, la petite Scout mène sa vie d'enfant. Un jour, une femme blanche de la ville accuse un homme noir de l'avoir violée. C'est le père de Scout qui est désigné pour défendre ce dernier. À travers le regard de la petite fille, nous prenons conscience de la réalité de la ségrégation raciale.
Ce roman a été adapté au cinéma par Robert Mulligan sous le titre *Du silence et des ombres* (1962).

Notre problème à tous (1964)

Tableau du peintre américain Norman Rockwell

En 1960, la petite Ruby Bridges – 6 ans – est la première afro-américaine à fréquenter une école « blanche » en Louisiane. Pour entrer et sortir de l'école, elle est placée sous la protection de *marshals*. Le tableau de Norman Rockwell la représente marchant bien droite entre quatre policiers ; on ne voit pas la foule enragée qui la regarde passer, mais on devine sa violence grâce à plusieurs éléments de l'arrière-plan.

Loin du Paradis (2002)

Film américain de Todd Haynes

Cathy Whitaker est une femme au foyer parfaite. Mais quand son mari s'éprend d'un autre homme, sa vie bascule. Elle se rapproche alors de son jardinier, un homme sensible et cultivé dont la peau est noire. Ils vont tous deux se heurter aux préjugés de l'Amérique des années 1950.

Annelise Heurtier

Sweet Sixteen (2014)

Casterman

En 1957, la ségrégation raciale est interdite dans les écoles publiques depuis trois ans, mais c'est la première fois que le lycée central de Little Rock, en Arkansas, ouvre ses portes à des élèves noirs. Ils seront neuf exactement à la rentrée, parmi 2 500 élèves blancs prêts à tout pour les chasser. Molly est l'une des neuf...
Ce récit est inspiré de faits réels.

● AUTOUR DE L'ÉMANCIPATION DES FEMMES

Simone de Beauvoir

Mémoires d'une jeune fille rangée (1958)

Gallimard

Simone de Beauvoir revient sur sa jeunesse bourgeoise, qui la destinait à devenir épouse et mère, et à se ranger tranquillement sous l'autorité des hommes. La découverte de la littérature et de la philosophie, ainsi que plusieurs rencontres décisives l'amènent à penser par et pour elle-même.

Un ange à ma table (1990)

Film australo-néo-zélandais de Jane Campion

Le film raconte la vie de l'écrivaine néo-zélandaise Janet Frame, de son enfance pauvre et solitaire à sa maturité de femme. On la pense faible, on la pense folle, mais elle ne cesse jamais d'écrire : cette fidélité à son propre talent sera la clé de son émancipation.